ÉTONNANTS·CLASSIQUES

COLETTE
Le Blé en herbe

Présentation, notes et dossier par
FRÉDÉRIC MAGET,
professeur de lettres

GF Flammarion

Composition : In Folio.
Création maquette intérieure :
Sarbacane Design.

Imprimé par LIBERDÚPLEX en août 2006
n° d'édition : L.01EHRNFG2257N001
D.L.: août 2006

ISBN : 2-08-072257-3
ISSN : 1269-8822

SOMMAIRE

Le Blé en herbe

Le Blé en herbe paraît pour la première fois en 1923. Plus de vingt ans après *Claudine à l'école* (1900), Colette revient au thème de l'adolescence. Phil et Vinca ont grandi ensemble. Chaque été, leurs familles se retrouvent en Bretagne pour y passer leurs vacances. Au rythme des ans et des saisons, une tendre amitié est née entre les deux jeunes gens. Mais le temps de l'enfance a passé. Les corps ont changé et le regard qu'ils portent l'un sur l'autre n'est plus le même. L'arrivée de la Dame en blanc, une femme d'une trentaine d'années, va bouleverser définitivement l'idylle amoureuse. Elle entreprend l'éducation sentimentale et sensuelle de Phil. Il faudra toute l'énergie de Vinca pour que le couple survive à cette trahison, mais à quel prix...

Madame Colette

En 1923, Colette a cinquante ans : l'âge de la maturité. Elle est un écrivain reconnu. La parution en 1920 du roman *Chéri* lui a valu l'estime unanime de ses pairs. L'écrivain André Gide, qui régnait en maître sur la *Nouvelle Revue française* – revue littéraire qu'il fonda en 1909 – et qui n'avait jamais caché ses réticences à l'égard de l'auteur des *Claudine*, lui exprime son admiration : « Madame, une louange que vous ne vous attendiez guère à recevoir, je gagerais que c'est la mienne [...]. Moi-même je suis tout étonné de vous écrire, tout étonné du grand plaisir que j'ai pris à vous lire. J'ai dévoré *Chéri* d'une haleine... » Marcel Proust avait écrit à Colette une lettre enthousiaste à l'occasion de la sortie de *Mitsou* (1919). En septembre 1920, les deux écrivains sont décorés de la Légion d'honneur. Proust félicite alors sa consœur : « C'est moi qui suis fier d'être décoré en même temps que l'auteur du génial *Chéri*. »

L'ombre de Claudine, le personnage de jeune adolescente libre que Colette a créé au début du XXᵉ siècle avec son premier mari Willy, et le scandale suscité par sa brève carrière de mime[1], semblent loin. En 1911, Colette a épousé Henry de Jouvenel, un homme politique en vue et l'un des rédacteurs en chef du quotidien *Le Matin*, qui figure parmi les quatre plus importants journaux de l'époque. Devenue la baronne Colette de Jouvenel des Ursins, elle a acquis une forme de respectabilité inédite dans sa vie.

C'est dans les locaux du *Matin*, journal pour lequel elle travaille dès la fin de l'année 1910, qu'elle a rencontré Henry de Jouvenel. Elle y publie des contes, puis, à partir du 30 octobre 1913, elle tient une nouvelle rubrique : « Le Journal de Colette », où elle rend compte des grands événements politiques et judiciaires de l'époque, tels l'arrestation du célèbre criminel Bonnot et le procès du meurtrier en série Landru. Au printemps 1919, elle prend la direction des « Mille et un matins », la rubrique dans laquelle elle a publié ses contes. Elle sollicite alors les articles d'écrivains reconnus et encourage les débuts de jeunes auteurs. Joseph Kessel et Georges Simenon se souviendront plus tard avec reconnaissance des conseils que la directrice littéraire a bien voulu leur prodiguer.

Preuve de son influence grandissante sur les lettres françaises, l'éditeur Ferenczi lui offre de diriger une collection. Ce sera la « collection Colette ». Vingt romans y seront publiés d'octobre 1923 à mars 1925. Parmi eux, peu de chefs-d'œuvre, mais des noms d'auteurs que la postérité retiendra, tels Philippe Soupault ou Emmanuel Bove.

---

1. Voir chronologie, p. 23.

En 1923, l'œuvre de Colette, qui compte une dizaine de titres, est l'objet d'une première étude : *Colette (Colette Willy), Son œuvre*, par Fernand Keller et André Lautier. Cette même année, quelques mois avant la publication du *Blé en herbe* par les éditions Flammarion, on murmure que Colette pourrait entrer à l'Académie française. Le 23 mars 1923, le journal *L'Éclair* place en première page un article qui fait état de la possible candidature de l'écrivain : « Colette va-t-elle faire acte de candidature à l'Académie ? C'est M. Jean Richepin qui l'y aurait à peu près décidée. » La nouvelle est jugée suffisamment sérieuse pour être reprise par *La Dépêche* peu de temps après. Toutefois, un nouvel article indique quelques jours plus tard que les « immortels[1] » refusent d'accepter des membres de la gent féminine.

Si, à l'âge de cinquante ans, Colette est un écrivain reconnu et célébré, le parfum de scandale qui a marqué ses débuts littéraires renaît à l'occasion de la sortie du *Blé en herbe*.

Un parfum de scandale

Avant d'être mis en vente en librairie le 13 juillet 1923, *Le Blé en herbe* a été publié en feuilleton dans *Le Matin*, au sein de la rubrique « Mille et un matins », du 29 février 1922 au 31 mars 1923, au rythme d'un texte par semaine ou tous les quinze jours avec quelques interruptions. Ces premières parutions constituent les quinze premiers chapitres du texte édité par Flammarion. Colette a souvent eu recours à cette pratique. Tantôt elle publie dans la presse des textes originaux qui constituent ensuite la matière de recueils – c'est le cas en 1922 pour *La Maison de Claudine* et *Le Voyage égoïste* –, tantôt elle y donne les fragments d'une œuvre appelée à

---

1. *Immortels* : surnom donné aux académiciens.

être éditée quelques mois plus tard, comme pour le roman *Chéri* (1920), qui paraît d'abord dans les colonnes de *La Vie parisienne*.

La prépublication dans la presse a des raisons essentiellement financières. Elle permet à l'écrivain d'être payé à deux reprises pour un même texte, une première fois par le journal ou la revue et une seconde fois par l'éditeur. De plus, cette pratique permet d'attirer et de fidéliser un plus large public. Enfin, c'est aussi pour l'auteur un gain de temps. On imagine assez mal aujourd'hui la formidable activité de Colette à l'époque de la parution du *Blé en herbe*. Elle est alors journaliste, directrice littéraire, critique dramatique, dramaturge, romancière et, à l'occasion, actrice dans ses propres pièces. En réutilisant plusieurs fois un même texte, elle est à même de répondre à ses nombreux engagements.

Habituée aux exigences de la presse, Colette calibre son texte de façon à respecter les contraintes éditoriales. Elle fournit régulièrement un nombre précis de feuillets, au nombre de lignes déterminé par avance en fonction de la maquette du journal. Aussi les quinze premiers chapitres du roman sont-ils de longueur presque identique. Toutefois, le cas du *Blé en herbe* diffère des autres romans que Colette a publiés dans la presse. En effet, les textes qui le composent et qui paraissent dans *Le Matin* ne sont pas présentés comme les différents chapitres d'une œuvre. Ils sont accompagnés d'un titre[1] et sont publiés sans la mention finale « À suivre ». Les lecteurs de l'époque peuvent penser à juste titre qu'il ne s'agit que d'une suite de scènes de la vie adolescente, abordant différents aspects de cet âge par le biais de personnages récurrents. D'ailleurs, au moment de la sortie du roman en librairie, de nombreux critiques relèveront le manque apparent de composition. Seuls des lecteurs attentifs de la revue *Comedia* ont pu lire le 29 août 1922 dans la rubrique « Nos enquêtes : projets d'auteur », l'annonce d'un « petit roman dont le titre provisoire est *Vinca* ».

---

1. Voir note de l'éditeur, p. 30.

Colette a sans doute deviné que si ses textes étaient lus comme un roman, ils ne manqueraient pas de provoquer de vives réactions de la part du lectorat plutôt conservateur du *Matin*. En les considérant comme une suite d'épisodes d'une même histoire, le lecteur pouvait prévoir que Phil tomberait dans les bras de la Dame en blanc et Vinca dans ceux de Phil. Colette a peut-être espéré tromper au moins momentanément l'attention de lecteurs susceptibles de condamner par avance des scènes d'amour charnel explicites. Cependant, dans le texte qui constitue le chapitre 14, il devient évident que la Dame en blanc et Phil ont des relations physiques. La fin de l'épisode est alors supprimée, sans doute à la demande des directeurs du journal. Il se termine chastement sur le mot « amour » (p. 102). Une semaine plus tard, la nouvelle livraison (le chapitre 15) annonce la relation physique entre Phil et Vinca. Cette fois, les lecteurs réagissent et écrivent au journal pour s'émouvoir du tour choquant que prennent les aventures des deux adolescents. La publication est interrompue le 31 mars 1923.

Colette ne semble pas avoir réagi à cette censure, qui n'est pas la première qu'elle rencontre et ne sera pas la dernière. Elle termine la rédaction du roman au mois de juin. Le 19, elle écrit à son amie Marguerite Moreno : « J'ai fini – que je crois – « Le Seuil » [titre envisagé par Colette pour *Le Blé en herbe*]. Non sans tourments ! la dernière page, exactement, m'a coûté toute ma première journée de Castel-Novel [1]. » Le texte écrit pendant cette période – réuni à deux épisodes qu'elle avait déjà rédigés, mais qui n'avaient pas été publiés –, constitue le seizième chapitre du roman. Ceci explique qu'il soit beaucoup plus long que les autres. Le roman s'intitule encore *Le Seuil* ; c'est seulement au dernier

---

[1]. Propriété de son mari Henry de Jouvenel, située à Varetz, près de Brive-la-Gaillarde.

moment que Colette opte pour *Le Blé en herbe*, en référence au blé vert, avant la moisson. Le roman est mis en vente par Flammarion le 12 juillet 1923.

« Une transposition moderne de *Daphnis et Chloé* »

La sortie du roman en librairie ne provoque pas le scandale auquel on aurait pu s'attendre. Sur la douzaine d'articles qui lui sont consacrés pendant l'été et à l'automne 1923, c'est à peine si certains expriment des réserves sur la moralité de l'œuvre. Yvonne Sarcey, par exemple, déclare dans la revue *Les Annales* : « J'ose préférer la forme pure de l'œuvre, que (*sic*) ses conclusions d'une hardiesse profonde. » Cette même année, *Le Diable au corps*, de Raymond Radiguet, suscite un scandale autrement plus important en racontant l'amour, pendant la Première Guerre mondiale, d'un adolescent pour une femme mariée dont l'époux est mobilisé[1]. Le récit des amours adolescentes n'a d'ailleurs pas de quoi choquer le grand public. C'est un sujet très répandu dans la littérature depuis la fin du XIXe siècle. Dans son étude, *The Novel of Adolescence in France*[2], Justin O'Brien a recensé cent huit romans qui traitent de l'adolescence entre 1890 et 1930, dont soixante pour la dernière décennie.

Le roman de Colette est d'abord lu comme une nouvelle illustration du thème de l'adolescence. À propos du *Blé en herbe*, de nombreux critiques citent *Paul et Virginie* (1788), de Bernardin

---

1. Voir dossier, p. 153.
2. Justin O'Brien, *The Novel of Adolescence in France*, Columbia University Press, New York, 1937.

de Saint-Pierre[1], et surtout les *Pastorales de Daphnis et Chloé*, du poète grec Longus (fin du IIe-début du IIIe siècle ap. J.-C.)[2], comme autant de modèles de l'œuvre. Ainsi, Albéric Cahuet écrit le 4 août 1923 dans la revue *L'Illustration* : « Mme Colette, tout comme Bernardin de Saint-Pierre, vient de s'inspirer du gracieux petit roman attribué à Longus. Elle en a fait une idylle sur une plage d'aujourd'hui entre deux adolescents modernes. Chloé, c'est Vinca "aux yeux couleur de pluie printanière" ; Daphnis s'appelle Philippe, et même Phil ; Lycénion se nomme Mme Dalleray. » Dans *La Vie parisienne*, le 25 août 1923, un journaliste présente l'ouvrage sous la forme d'un dialogue entre Daphnis et Chloé. Enfin, Gaston de Pawlowski, dans *Les Annales* du 7 octobre 1923, cite les propos tenus par Yvonne Sarcey, qui voit dans *Le Blé en herbe* « une transposition moderne de Daphnis et Chloé ». Robert Kemp va jusqu'à affirmer que le roman de Colette est une réécriture délibérée du roman de Longus : « Allons ! Pas d'illusions : Mme Colette a sûrement lu *Daphnis et Chloé*. C'est de propos délibéré qu'elle a récrit la pastorale de Longus. »

Colette connaissait en effet *Daphnis et Chloé*. En 1918, elle avait assisté à l'adaptation sous forme d'opérette de la pastorale de Longus, dont elle avait rendu compte dans la presse. Elle intitule « Daphnis » la livraison correspondant au chapitre 4 du roman et elle fait référence au personnage de Daphnis dans son œuvre, au sujet de Phil : « Moins ignorant que Daphnis, Philippe révérait et rudoyait Vinca [...] » (p. 54). Les parallèles entre les deux œuvres ne manquent pas. Si le couple Phil-Vinca évoque celui formé par Daphnis et Chloé, Mme Dalleray est Lycénion, la femme plus âgée qui initie Daphnis à l'amour physique. Le cadre bucolique de l'île de Lesbos est remplacé par la Bretagne baignée de bleu. On pourrait même voir dans la quasi-absence des parents, devenus des

---

1. Voir dossier, p. 150.
2. Voir dossier, p. 146.

« Ombres » sous la plume de Colette, une évocation de l'abandon de Daphnis et Chloé, orphelins tous les deux. Toutefois, Colette refuse l'idéalisation des sentiments amoureux. Elle décrit sans complaisance le désarroi de Phil, son désir sensuel et sa peur, ainsi que la violence des sentiments de Vinca. Elle explore les zones sombres de l'être et évoque les pulsions suicidaires des adolescents. Autre différence majeure, Colette inscrit l'aventure des deux jeunes gens dans le temps. Alors que Daphnis et Chloé paraissent figés dans l'éternel, Colette fait de la perception du temps par ses personnages, et notamment par Phil, un des ressorts tragiques de son texte. Enfin, la conclusion du roman de Colette semble d'un pessimisme radical à côté de celle de Longus, où les deux adolescents retrouvent leurs parents – et avec eux un statut social privilégié –, se marient et vivent heureux. Phil et Vinca rejoignent en cela la foule des amants malheureux qui peuplent l'œuvre de la romancière.

La guerre des sexes

En mars 1926, Colette accorde un entretien aux *Nouvelles littéraires*. À la demande du journaliste Frédérick Lefèvre, elle revient sur la naissance du *Blé en herbe* : « Je l'ai composé en Bretagne dans la villa que j'ai à Rozven, entre Paramé et Cancale [...]. L'histoire de ce roman – la genèse, comme vous dites, vous autres pédants (!) – est curieuse : depuis longtemps, longtemps, j'avais envie d'écrire un acte pour le Théâtre-Français... Le rideau se lève, la scène est plongée dans l'obscurité[1], deux personnages invisibles dissertent sur l'amour avec beaucoup de science et d'expérience. Vers les dernières répliques, on donne la lampe[2] et les spectateurs

---

1. Cette « genèse » pourrait expliquer la désignation des parents par le mot « ombres » dans le roman.
2. *On donne la lampe* : on éclaire la scène.

surpris s'aperçoivent que les partenaires ont réciproquement quinze et seize ans. Je voulais signifier par là que l'amour passion n'a pas d'âge et que l'amour n'a pas deux espèces de langage... Je n'ai pas dit autre chose dans *Le Blé en herbe*. J'ai seulement intercalé dans le récit quelques paysages cancalais qui m'avaient vivement émue. » En écrivant *Le Blé en herbe*, Colette aurait moins voulu écrire un roman sur l'adolescence qu'un nouvel opus sur l'amour et les relations amoureuses.

Les amours de « Phil-et-Vinca » prennent ainsi place parmi celles de Chéri et Léa (*Chéri*, 1920 ; *La Fin de Chéri*, 1926), de Jean et Alice (*Duo*, 1934), ou de celles plus improbables d'Alain et la chatte Saha (*La Chatte*, 1933) ; amours triangulaires quelquefois, où le bonheur d'un couple est perturbé par l'arrivée d'une troisième personne ; amours malheureuses toujours et qui conduisent au renoncement et parfois à la mort (*La Fin de Chéri*, *Duo*). *Le Blé en herbe* apparaît ainsi comme une œuvre centrale dans la série que Colette consacre à l'amour dans les années 1920-1930. L'amour d'une femme plus âgée pour un jeune homme rappelle l'amour de Léa pour Chéri, et le renoncement final à l'amour annonce, par certains aspects, celui de la narratrice de *La Naissance du jour* (1928). Il n'est pas insignifiant que Colette reprenne une phrase du *Blé en herbe* pour prolonger le titre d'un autre de ses livres, une manière d'essai sur l'amour et le désir qu'elle intitule *Ces plaisirs... qu'on nomme, à la légère, physiques* (1932)[1]. Benjamin Crémieux a d'ailleurs deviné le véritable sujet du roman. Dans le numéro des *Nouvelles littéraires* daté du 25 août 1923, il écrit : « Ce n'est peut-être pas le meilleur livre de Colette, mais c'est peut-être celui où sa "philosophie de la vie", des rapports entre hommes et femmes s'exprime avec le plus de force et de clarté. » Il précise : « Ce n'est pas une étude psychologique qu'il faut chercher dans *Le Blé en herbe*, c'est, en raccourci, le début d'une légende des sexes. »

---

1. Voir p. 106.

Dans *Le Blé en herbe*, le lecteur assiste à une inversion des représentations masculine et féminine. Les personnages féminins sont étonnamment virils. La Dame en blanc possède une « douce voix virile » (p. 70) et un « sourire aisé et presque masculin » (p. 76) ; elle a « l'air d'un beau garçon » (p. 98). Vinca n'est fragile qu'en apparence. Devant Phil, elle fait preuve d'un « mépris, tout viril » (p. 92). À l'opposé, le jeune homme apparaît faible. Le narrateur insiste sur la « faiblesse suspecte du garçon qui pleurait » (p. 92). Face à la Dame en blanc, il se sent « tout à coup fatigué, penchant et faible » (p. 48). Ses traits semblent parfois presque féminins. De retour chez lui après une nuit d'amour avec la Dame en blanc, il contemple dans le miroir des « traits plaintifs, et moins pareils à ceux d'un homme qu'à ceux d'une jeune fille meurtrie » (p. 87).

Colette opère un véritable renversement des rapports de force entre l'homme et la femme. À la femme reviennent l'initiative et le pouvoir de domination traditionnellement accordés aux héros masculins. C'est la Dame en blanc qui séduit Phil, c'est encore elle qui le conduit dans sa villa et qui lui prend le bras pour procéder à son initiation sexuelle. Benjamin Crémieux (*op. cit.*) résumait cette opposition dans l'article qu'il consacrait au roman de Colette : « La femme avide d'absolu sentimental, antisociale, sachant tout d'avance par instinct ou intuition ; l'homme relativiste, hiérarchisé, obligé de tout apprendre, incapable de rien deviner. » Dans le récit, on assiste presque à une scène d'enlèvement, ainsi que l'explicite Phil, qui éprouve une « sensation de somptueux cauchemar, d'arrestation arbitraire, d'enlèvement équivoque » (p. 70).

Pour le jeune homme, la Dame en blanc est plus qu'une initiatrice, il la nomme « sa maîtresse, et parfois son "maître" » (p. 107). Malgré son calme, Vinca sait elle aussi imposer sa volonté au jeune homme qui admire sa force : « "Comme elle est solide !" pensa-t-il avec une sorte de crainte » (p. 89). Il ne reste à l'homme qu'à se soumettre et peut-être à renoncer à l'amour. On songera aux paroles intérieures de Phil sur lesquelles s'achève le roman : « Ni héros, ni bourreau... Un peu de douleur, un peu de plaisir... Je ne lui aurai donné que cela... que cela... » (p. 144).

On se gardera pour autant de faire de Colette un chantre avant l'heure du féminisme. Plusieurs fois, elle exprime avec une ironie mordante le peu de considération qu'elle a pour les « suffragettes »[1]. Contrairement à Simone de Beauvoir, qui affirmera dans *Le Deuxième Sexe* en 1949 : « On ne naît pas femme, on le devient », Colette croit à une nature et à un instinct féminins. Ainsi, Vinca ressent le « précoce, l'impérieux instinct de tout donner » (p. 32) et l'« instinct auguste de s'installer dans le malheur en l'exploitant comme une mine de matériaux précieux » (p. 127). La femme chez Colette est bien souvent une « graine d'esclave » (p. 44), comme le dit Phil. Colette n'avait pas plus de goût pour la politique que pour la théorie désincarnée. Comme souvent dans son œuvre, c'est dans la vie de la femme qu'il faut chercher la source de l'inspiration de l'écrivain.

Un récit autobiographique ?

En 1922, Colette publie *La Maison de Claudine*. Dix ans après la mort de sa mère, « Sido », l'écrivain revient pour la première fois sur son enfance à Saint-Sauveur-en-Puisaye. Pour la première fois ? Pas vraiment, car, comme l'affirme Alain Brunet, « quoi qu'on en dise et quelles que soient les déformations, *Claudine à l'école* était déjà une autobiographie ». L'œuvre de Colette peut en effet se lire comme une longue et lente quête de soi et la plupart de ses fictions ont été forgées à partir des événements de sa vie. *Le Blé en herbe* ne déroge pas à cette loi générale de l'œuvre.

---

1. *Suffragettes* : à l'origine, Anglaises militantes qui réclamaient le droit de vote. En France, les premières manifestations pour le droit de vote des femmes ont lieu dans les années 1910.

Colette possède en Bretagne une villa que lui a offerte en 1909 Missy, la marquise de Belbeuf, sa compagne à l'époque. Elle s'y rend chaque été en compagnie de sa fille, née en 1912, et de ses amis Francis Carco, Germaine Beaumont, Hélène Picard, Germaine Patat... La maison est située entre Cancale et Paramé, là même où se situe l'action du *Blé en herbe*.

Pendant l'été 1920, Colette accueille un nouvel invité, Bertrand de Jouvenel, le fils de Henry de Jouvenel, son second mari, et de Claire Boas. Elle semble s'être immédiatement attachée à son beau-fils, âgé de dix-sept ans. L'entente est réciproque. Le jeune homme entretient alors une relation sentimentale avec une jeune Anglaise surnommée « Pam ». Craignant sans doute la désapprobation de ses parents, Bertrand leur cache cet amour. À Rozven, il reçoit l'aide complice de Colette, qui devient sa confidente. Cette idylle adolescente inspire probablement à l'écrivain l'« amour de Phil-et-Vinca ». Mais, ce même été, une autre idylle se noue.

En 1923, Colette a cinquante ans. Son corps s'est épaissi. Elle pèse désormais quatre-vingts kilos pour un mètre soixante. Dans les lettres qu'elle écrit à son amie Marguerite Moreno, elle évoque sans complaisance son « gros corps » ou son corps de « grosse tritonne ». La femme qui exhibait une plastique parfaite sur les scènes de théâtre au début du xxe siècle voit désormais approcher la vieillesse. La proximité de sa fille Colette de Jouvenel, qui a onze ans en 1923, et celle de son beau-fils lui rendent plus sensibles les signes physiques du temps qui passe. La cinquantaine a peut-être ceci de commun avec l'adolescence, qu'elle est un « seuil », pour reprendre le titre initialement donné au *Blé en herbe*. En cet été 1920, Colette tombe amoureuse de son beau-fils.

Bertrand de Jouvenel a bien voulu, presque soixante ans plus tard, évoquer ses souvenirs. Dans un texte tout en retenue, *La Vérité sur Chéri*, il raconte : « Elle avait apparemment décidé de me former [...]. Devant la maison juchée s'étendait une large plage de sable désertique ; je prenais plaisir à y courir. Colette me regardait sans doute, car un jour où, devant la maison et vêtu d'un caleçon de bain, elle passa son bras sur mes reins, je me souviens encore d'un tressaillement que j'éprouvai. [...] Colette entreprit mon éducation sentimentale [1]. » Certaines mauvaises langues ont dit que Colette se vengeait ainsi du père de Bertrand, qui la trompait depuis longtemps. Toutefois, il semble qu'elle ait été réellement amoureuse du jeune homme.

Faut-il faire de la relation entre Phil et Mme Dalleray un simple décalque de l'amour bien réel entre Bertrand et Colette ? Le principal intéressé avoue : « Assez curieusement, je n'ai pas été frappé par *Le Blé en herbe* ; je ne m'y suis pas reconnu, alors qu'il y avait lieu, sans doute [...] [2]. » Difficile en effet de nier que le roman s'inspire directement de cet épisode de la biographie de l'écrivain. Le nom de la Dame en blanc vient d'ailleurs du nom de la rue (rue d'Alleray, à Paris) où Hélène Picard possédait un appartement dans lequel Bertrand de Jouvenel vécut quelque temps à l'époque de son idylle avec Colette. Pourtant, Camille Dalleray n'est pas Colette. Comme l'a souligné le critique Claude Pichois, la Dame en blanc est un personnage plus complexe, qui doit probablement aux trois femmes présentes à Rozven : Germaine Beaumont, Hélène Picard et Germaine Patat. Elle est simplement un nouveau miroir que l'écrivain se tend à elle-même pour mieux se connaître. Ainsi, le lecteur, au seuil du texte, se souviendra de l'avertissement placé par Colette en épigraphe à *La Naisssance du jour* (1928) : « Imaginez-vous, à me lire, que je fais mon portrait ? Patience : c'est seulement mon modèle. »

---

1. Bertrand de Jouvenel, *La Vérité sur Chéri*, in Colette, *Œuvres*, Gallimard, coll. « Bibliothèque de la Pléiade », t. II, 1989, p. LVI-LVII.
2. *Ibid.*, p. LVIII.

■ Colette en 1939.

CHRONOLOGIE

1873 1954

1873 1954

■ **Repères historiques et culturels**
■ **Vie et œuvre de l'auteur**

Repères historiques et culturels

1873   Mac-Mahon est le premier président de la IIIᵉ République.

1874   Sarah Bernhardt joue *Phèdre* de Racine.

1875   Bizet, *Carmen*.

1880–   Lois de Jules Ferry sur la laïcité, la gratuité et l'obligation
1881   de l'enseignement primaire.

1885   Mort de Victor Hugo.
             Émile Zola, *Germinal*.
             Louis Pasteur découvre le vaccin contre la rage.

1898   Émile Zola, « J'accuse ! », dans *L'Aurore*.

Vie et œuvre de l'auteur

1873   28 janvier, naissance de Sidonie-Gabrielle Colette
à Saint-Sauveur-en-Puisaye (Yonne).

1891   La famille Colette quitte Saint-Sauveur-en-Puisaye pour
Châtillon-Coligny (Loiret).

1893   15 mai, mariage de Gabrielle Colette et de Henry Gauthier-
Villars (1859-1931), plus connu sous le nom de « Willy ».

1895   En juillet, voyage de Colette et de Willy à Saint-Sauveur ; ils
séjournent chez l'ancienne institutrice de Colette,
Mlle Olympe Terrain. Colette commence probablement la
rédaction de *Claudine à l'école*.

1900   Publication de *Claudine à l'école*, sous le seul nom de Willy.

1901–   Publication, au rythme d'un volume par an, de *Claudine*
1903   *à Paris*, *Claudine en ménage* et *Claudine s'en va*, signés
« Willy ». La série des *Claudine* sera le plus gros succès
éditorial de la Belle Époque.

1904   Publication des *Dialogues de bêtes*, le premier livre signé
« Colette Willy ». La même année, *Minne* paraît sous le seul
nom de « Willy ».

1905   Publication des *Égarements de Minne*, signé « Willy ».
Colette rencontre Missy (Mathilde de Morny, marquise de
Belbeuf). Elles entretiennent des relations suivies jusqu'en 1911.
Colette prend des cours de mime auprès de George Wague.

Repères historiques et culturels

1906   Réhabilitation du capitaine Dreyfus.

1907   Pablo Picasso, *Les Demoiselles d'Avignon*.

1908   Transfert des cendres d'Émile Zola au Panthéon.

1909   Création de la *Nouvelle Revue française*.

1910   Judith Gauthier est la première femme élue à l'Académie
             Goncourt.

1911   Marie Curie reçoit le prix Nobel de physique.
             8 mars, première journée internationale de la femme :
             un million de femmes manifestent en Europe.

1913   Alain-Fournier, *Le Grand Meaulnes*.
             Marcel Proust, *Du côté de chez Swann*.
             Guillaume Apollinaire, *Alcools*.

Vie et œuvre de l'auteur

1906   En février, début de Colette au théâtre sur la scène des Mathurins. Elle interprète le rôle d'un faune dans *Le Désir, la Chimère et l'Amour*, mimodrame de Francis de Croisset et de Jean Nouguès.

1907   3 janvier, scandale au Moulin-Rouge : Colette interprète la pantomime *Rêve d'Égypte* en compagnie de Missy, qui joue le rôle d'un homme et qu'elle embrasse sur scène. Les insultes fusent dans la salle. Le spectacle est interdit par le préfet de police Lépine. Le scandale est principalement dû à la présence des armes des familles Morny et Belbeuf sur l'affiche du spectacle.
Publication de *La Retraite sentimentale*, signé « Colette Willy ». Cet ouvrage clôt la série des *Claudine*.
1er novembre, Colette joue pour la première fois *La Chair*, pantomime de George Wague et Léon Lambert. Ce sera son plus gros succès. Sur scène, elle exhibe un sein nu qui lui vaut de nombreux articles et caricatures.

1908   Publication du recueil *Les Vrilles de la vigne* aux éditions de *La Vie parisienne*, ouvrage signé « Colette Willy ».

1909   *Minne* et *Les Égarements de Minne* sont refondus par Colette pour devenir *L'Ingénue libertine*.

1910   21 juin, le divorce est prononcé entre Colette et Willy.
Colette publie *La Vagabonde*, témoignage sur ses expériences d'actrice, signé « Colette Willy ».
Début de la collaboration de Colette au *Matin*. Elle y rencontre Henry de Jouvenel, l'un des rédacteurs en chef.

1912   25 septembre, Sido, la mère de Colette, meurt à Châtillon-Coligny. Colette ne se rend pas à l'enterrement. Sido deviendra un personnage central de son œuvre.
19 décembre, Colette épouse Henry de Jouvenel et devient baronne.

1913   Publication de *L'Envers du music-hall*, *L'Entrave*, et de *Prrou, Poucette et quelques autres*, signés « Colette Willy ».
3 juillet, naissance de Colette de Jouvenel, fille de Colette et Henry de Jouvenel.

Repères historiques et culturels

1914   28 juin, assassinat de l'archiduc d'Autriche François-Ferdinand, à Sarajevo.
3 août, l'Allemagne déclare la guerre à la France.

1918   11 novembre, signature de l'armistice qui met fin à la Première Guerre mondiale.

1922   Mort de Marcel Proust.

1923   Raymond Radiguet, *Le Diable au corps*.

1925   Louis Aragon, *Le Paysan de Paris*.
André Gide, *Les Faux-Monnayeurs*.

1929   Krach boursier de Wall Street. Début d'une grave crise économique.

1932   Louis-Ferdinand Céline, *Voyage au bout de la nuit*.

1933   Adolf Hitler devient chancelier en Allemagne.

Vie et œuvre de l'auteur

1919 Publication de *Mitsou*, dont l'héroïne est une actrice de music-hall, signé «Colette (Colette Willy)».

1920 Publication de *Chéri*, signé «Colette (Colette Willy)». 25 septembre, Colette est nommée chevalier de l'ordre de la Légion d'honneur.

1922 Publication de *La Maison de Claudine*. Dix ans après la disparition de sa mère, Colette revient sur ses souvenirs d'enfance à Saint-Sauveur-en-Puisaye.

1923 Publication du roman *Le Blé en herbe*, premier ouvrage signé «Colette» (elle abandonne la signature «Colette Willy»).
La mésentente entre Colette et Henry de Jouvenel grandit. En 1921, Colette a noué une relation amoureuse avec Bertrand de Jouvenel, le fils de Henry.

1925 21 mars, première représentation de *L'Enfant et les sortilèges*, fantaisie lyrique en deux parties (musique de Maurice Ravel, livret de Colette).
6 avril, le divorce est prononcé entre Henry de Jouvenel et Colette. Elle se sépare aussi de Bertrand de Jouvenel. Rencontre de Maurice Goudeket, qui sera son dernier compagnon («mon meilleur ami»).

1926 Publication de *La Fin de Chéri*.

1930 Publication de *Sido*.

1933 Publication de *La Chatte*.
Colette assure la chronique dramatique dans *Le Journal*. Ces articles constitueront la matière des quatre volumes de *La Jumelle noire*.

Repères historiques et culturels

1938   Exposition internationale surréaliste à Paris.

1939   3 septembre, la Grande-Bretagne puis la France déclarent la guerre à l'Allemagne.

1940   Pétain signe l'armistice avec l'Allemagne. La France est occupée.

1942   Albert Camus, *L'Étranger*.

1944   Jean-Paul Sartre, *Huis clos*.

1945   Fin de la Seconde Guerre mondiale. Bombes atomiques sur Hiroshima et Nagasaki.

1947   André Gide reçoit le prix Nobel de littérature.
Claude Autant-Lara adapte *Le Diable au corps*.

1949   Simone de Beauvoir, *Le Deuxième Sexe*.

1950   Création à Paris de *La Cantatrice chauve*, d'Eugène Ionesco.

1951   Marguerite Yourcenar, *Mémoires d'Hadrien*.

1953   Roland Barthes, *Le Degré zéro de l'écriture*.

1954   Françoise Sagan, *Bonjour tristesse*.

Vie et œuvre de l'auteur

1935   3 avril, Colette épouse Maurice Goudeket, qui devient son troisième mari.

1936   4 avril, Colette est reçue à l'Académie royale de langue et de littérature françaises de Belgique, où elle succède à Anna de Noailles.

1938   Colette s'installe au Palais-Royal (9, rue de Beaujolais). Ce sera son dernier domicile.
Elle commence à souffrir d'arthrite. Le mal ira en s'aggravant jusqu'à la paralysie. Elle évoquera sans complaisance et avec une étonnante lucidité la maladie et la vieillesse dans *L'Étoile Vesper* (1946) et *Le Fanal bleu* (1949).

1944   Publication de *Gigi*. Le roman sera adapté au cinéma par Jacqueline Audry en 1948, à la scène en 1951, puis transposé en comédie musicale par Vincente Minnelli, en 1958.

1945   2 mai, Colette est élue à l'Académie Goncourt à l'unanimité ; elle en sera la présidente à partir de 1949.

1954   En janvier, sortie du film *Le Blé en herbe*, réalisé par Claude Autant-Lara, avec Simone Simon (Vinca), Pierre-Michel Beck (Phil) et Edwige Feuillère (Mme Dalleray).
4 août, Colette s'éteint à l'âge de quatre-vingt-un ans. Ses obsèques nationales sont célébrées dans la cour d'honneur du Palais-Royal. L'Église catholique lui refuse des obsèques religieuses. Inhumation au Père-Lachaise.

Le Blé en herbe

Note de l'éditeur : à l'exception du chapitre 16, qui paraît la première fois en 1923 dans l'édition du *Blé en herbe*, les textes des différents chapitres ont fait l'objet d'une première publication dans *Le Matin* entre février 1922 et mars 1923. Nous indiquons les dates auxquelles ils ont paru dans le journal, en précisant chaque fois le titre qu'ils portaient : le texte du chapitre 1,« La crevette », a paru le 29 février 1922 ; celui du chapitre 2, «Vinca », le 2 septembre ; celui du chapitre 3, «En attendant», le 16 septembre ; celui du chapitre 4, «Daphnis», le 30 septembre ; celui du chapitre 5, «Drames», le 1er octobre ; celui du chapitre 6, «Sérénité», le 14 octobre ; celui du chapitre 7, «Les Ombres», le 21 octobre ; celui du chapitre 8, «L'antre», le 18 novembre ; celui du chapitre 9, «Les chardons», le 9 décembre ; celui du chapitre 10, «La soumission», le 23 décembre ; celui du chapitre 11, «Nocturne», le 13 janvier 1923 ; celui du chapitre 12, «Faiblesse», le 1er février ; celui du chapitre 13, «Pardon», le 24 février ; celui du chapitre 14, «La quémandeuse», le 10 mars ; celui du chapitre 15, «La comparaison», le 31 mars.

1

– Tu vas à la pêche, Vinca ?

D'un signe de tête hautain, la Pervenche, Vinca [1] aux yeux
couleur de pluie printanière, répondit qu'elle allait, en effet, à la
pêche. Son chandail reprisé en témoignait et ses espadrilles
5 racornies [2] par le sel. On savait que sa jupe à carreaux bleus et
verts, qui datait de trois ans et laissait voir ses genoux, appartenait à la crevette et aux crabes. Et ces deux havenets [3] sur
l'épaule, et ce béret de laine hérissé et bleuâtre comme un chardon des dunes, constituaient-ils une panoplie de pêche, oui ou
10 non ?

Elle dépassa celui qui l'avait hélée. Elle descendit vers les
rochers, à grandes enjambées de ses fuseaux maigres et bien tour-
nés, couleur de terre cuite. Philippe la regardait marcher, compa-
rant l'une à l'autre Vinca de cette année et Vinca des dernières
15 vacances. A-t-elle fini de grandir ? Il est temps qu'elle s'arrête. Elle
n'a pas plus de chair que l'autre année. Ses cheveux courts s'épar-
pillent en paille raide et bien dorée, qu'elle laisse pousser depuis
quatre mois, mais qu'on ne peut ni tresser ni rouler. Elle a les
joues et les mains noires de hâle, le cou blanc comme lait sous ses
20 cheveux, le sourire contraint, le rire éclatant, et si elle ferme étroi-

---

1. Le prénom de la jeune fille reprend le nom savant d'origine latine de la pervenche, plante à fleurs de couleur bleue.
2. *Racornies* : durcies comme de la corne.
3. *Havenets* (ou *haveneaux*) : filets de pêche en forme d'épuisette servant surtout à pêcher les crevettes.

tement, sur une gorge[1] absente, blousons et chandails, elle trousse jupe et culotte pour descendre à l'eau, aussi haut qu'elle peut, avec une sérénité de petit garçon…

Le camarade qui l'épiait, couché sur la dune à longs poils
25 d'herbe, berçait sur ses bras croisés son menton fendu d'une fossette. Il compte seize ans et demi, puisque Vinca atteint ses quinze ans et demi. Toute leur enfance les a unis, l'adolescence les sépare. L'an passé, déjà, ils échangeaient des répliques aigres, des horions[2] sournois; maintenant le silence, à tout moment, tombe
30 entre eux si lourdement qu'ils préfèrent une bouderie à l'effort de la conversation. Mais Philippe, subtil, né pour la chasse et la tromperie, habille de mystère son mutisme, et s'arme de tout ce qui le gêne. Il ébauche des gestes désabusés, risque des « À quoi bon ?… Tu ne peux pas comprendre… », tandis que Vinca ne sait que se
35 taire, souffrir de ce qu'elle tait, de ce qu'elle voudrait apprendre, et se raidir contre le précoce, l'impérieux instinct de tout donner, contre la crainte que Philippe, de jour en jour changé, d'heure en heure plus fort, ne rompe la frêle amarre[3] qui le ramène, tous les ans, de juillet en octobre, au bois touffu incliné sur la mer, aux
40 rochers chevelus de fucus[4] noir. Déjà il a une manière funeste de regarder son amie fixement, sans la voir, comme si Vinca était transparente, fluide, négligeable…

C'est peut-être l'an prochain qu'elle tombera à ses pieds et qu'elle lui dira des paroles de femme : « Phil ! ne sois pas
45 méchant… Je t'aime, Phil, fais de moi ce que tu voudras… Parlemoi, Phil… » Mais cette année elle garde encore la dignité revêche des enfants, elle résiste, et Phil n'aime pas cette résistance.

Il regardait la plate et gracieuse fille, qui descendait à cette heure vers la mer. Il n'avait pas plus l'envie de la caresser que

---

1. Gorge : poitrine.
2. Horions : coups violents.
3. Amarre : ici, attache (sens figuré).
4. Fucus : algue brune.

50 de la battre, mais il la voulait confiante, promise à lui seul, et disponible comme ces trésors dont il rougissait, – pétales séchés, billes d'agate, coquilles et graines, images, petite montre d'argent...

– Attends-moi, Vinca ! Je vais à la pêche avec toi ! cria-t-il.

55 Elle ralentit le pas sans se retourner. Il l'atteignit en quelques bonds et s'empara d'un des havenets.

– Pourquoi en avais-tu pris deux ?

– J'ai pris la petite poche pour les trous étroits, et mon have-net à moi, comme d'habitude.

60 Il plongea dans les yeux bleus son plus doux regard noir :

– Alors ce n'était pas pour moi ?

En même temps il lui offrait la main pour franchir le mauvais couloir de rochers, et le sang monta sous le hâle des joues de Vinca. Un geste nouveau, un regard nouveau suffisaient à la

65 confondre. Hier, ils battaient les falaises, sondaient les trous côte à côte – à chacun son risque... Aussi leste [1] que lui, elle ne se souvenait pas d'avoir requis l'aide de Phil...

– Un peu de douceur, Vinca ! pria-t-il en souriant, parce qu'elle a retiré sa main d'un trop grand geste anguleux. Qu'est-ce que tu

70 as donc contre moi ?

Elle mordit ses lèvres, fendillées par les plongeons quotidiens, et chemina sur les rochers hérissés de balanes [2]. Elle réfléchissait et se sentait pleine de doute. Qu'a-t-il donc lui-même ? Le voici prévenant, charmant, et il vient de lui offrir la main comme à une

75 dame... Elle abaissa lentement la poche de filet dans une cavité où l'eau marine, immobile, révélait des algues, des holothuries [3], des « loups [4] », rascasses [5] tout en tête et en nageoires, des crabes

---

1. *Leste* : agile.

2. *Balanes* : crustacés qui vivent accrochés aux rochers, aux mollusques et aux coques des navires.

3. *Holothuries* : animaux marins de forme allongée.

4. *Loups* : poissons comestibles ; « loup » est l'autre nom du bar.

5. *Rascasses* : poissons à grosse tête hérissée d'épines.

noirs à passepoils[1] rouges et des crevettes… L'ombre de Phil obscurcit la flaque ensoleillée.

80 – Ôte-toi donc ! Tu mets ton ombre sur les crevettes, et puis c'est à moi, ce grand trou-là !

Il n'insista pas et elle pêcha toute seule, impatiente, moins adroite que de coutume. Dix crevettes, vingt crevettes échappèrent à son coup de filet trop brusque, pour se tapir dans des fis-
85 sures d'où leurs barbes fines tâtent l'eau et narguent l'engin…

– Phil ! Viens, Phil ! C'en est rempli, de crevettes, et elles ne veulent pas se laisser prendre !

Il approcha, nonchalant, se pencha sur le petit abîme pullulant :

– Naturellement ! C'est que tu ne sais pas…
90 – Je sais très bien, cria Vinca aigrement, seulement je n'ai pas la patience.

Phil enfonça le havenet dans l'eau et le tint immobile.

– Dans la fente de rocher, chuchota Vinca derrière son épaule, il y en a de belles, belles… Tu ne vois pas leurs cornes ?
95 – Non. Ça n'a pas d'importance. Elles viendront bien.

– Tu crois ça !

– Mais oui. Regarde.

Elle se pencha davantage, et ses cheveux battirent, comme une aile courte et prisonnière, la joue de son compagnon. Elle recula,
100 puis revint d'un mouvement insensible, pour reculer encore. Il ne parut pas s'en apercevoir, mais sa main libre attira le bras nu, hâlé et salé, de Vinca.

– Regarde, Vinca… La plus belle, qui vient…

Le bras de Vinca, qu'elle déroba, glissa jusqu'au poignet dans
105 la main de Phil comme dans un bracelet, car il ne le serrait pas.

– Tu ne l'auras pas, Phil, elle est repartie…

Pour suivre mieux le jeu de la crevette, Vinca rendit son bras, jusqu'au coude, à la main demi-fermée. Dans l'eau verte, la

---

1. *Passepoils* : ici, bandes ; au sens propre, le mot désigne des bandes de tissu qui bordent certains vêtements ou coutures.

longue crevette d'agate grise tâtait du bout des pattes, du bout des
110 barbes, le bord du havenet. Un coup de poignet, et... Mais le
pêcheur tardait, savourant peut-être l'immobilité du bras docile à
sa main, le poids d'une tête voilée de cheveux, qui s'appuya, un
moment vaincue, à son épaule, puis s'écarta, farouche...

    – Vite, Phil, vite, relève le filet !... Oh ! elle est partie ! Pour-
115 quoi l'as-tu laissée partir ?

    Phil respira, laissa tomber sur son amie un regard où l'orgueil,
étonné, méprisait un peu sa victoire ; il délivra le bras mince, qui
ne réclamait point sa liberté, et brouillant, à coups de havenet,
toute la flaque claire :

120   – Oh ! elle reviendra... Il n'y a qu'à attendre...

2

l'eau = sexuelle

Ils nageaient côte à côte, lui plus blanc de peau, la tête noire et ronde sous ses cheveux mouillés, elle brûlée comme une blonde, coiffée d'un foulard bleu. Le bain quotidien, joie silencieuse et complète, rendait à leur âge difficile la paix et l'enfance, toutes deux en péril. Vinca se coucha sur le flot, souffla de l'eau en l'air comme un petit phoque. Le foulard tordu découvrait ses oreilles roses et délicates, que les cheveux abritaient pendant le jour, et des clairières de peau blanche aux tempes qui ne voyaient la lumière qu'à l'heure du bain. Elle sourit à Philippe, et sous le soleil d'onze heures le bleu délicieux de ses prunelles verdit un peu au reflet de la mer. Son ami plongea brusquement, saisit un pied de Vinca et la tira sous la vague. Ils «burent» ensemble, reparurent crachant, soufflant, et riant comme s'ils oubliaient, elle ses quinze ans tourmentés d'amour pour son compagnon d'enfance, lui ses seize ans dominateurs, son dédain de joli garçon et son exigence de propriétaire précoce.

— Jusqu'au rocher ! cria-t-il en fendant l'eau.

Mais Vinca ne le suivit pas, et gagna le sable proche.

— Tu t'en vas déjà ?

Elle arracha son bonnet comme si elle se scalpait, et secoua ses raides cheveux blonds :

— Un monsieur qui vient déjeuner ! Papa a dit qu'on s'habille !

Elle courait, toute mouillée, grande et garçonnière, mais fine, avec de longs muscles discrets. Un mot de Phil l'arrêta.

— Tu t'habilles ? et moi ? je ne peux pas déjeuner en chemise ouverte, alors ?

– Mais si, Phil ! Tout ce que tu veux ! D'ailleurs, tu es beaucoup mieux, décolleté !

Le petit masque mouillé et hâlé, les yeux de la Pervenche exprimèrent tout de suite l'angoisse, la supplication, un revêche désir
30 d'être approuvée. Il se tut avec morgue [1] et Vinca gravit le pré de mer fleuri de scabieuses [2].

Phil grommela, tout seul, en battant l'eau. Il se souciait peu des préférences de Vinca. « Je suis toujours assez beau pour elle... D'ailleurs, elle n'est jamais contente, cette année ! »
35 Et l'apparente contradiction de ses deux boutades [3] le fit sourire. Il se renversa à son tour sur la vague, laissa l'eau salée emplir ses oreilles d'un silence grondant. Un petit nuage couvrant le soleil haut, Phil ouvrit les yeux et vit passer au-dessus de lui les ventres ombrés, les grands becs effilés et les pattes sombres,
40 repliées en plein vol, d'un couple de courlis [4].

« Fichue idée, se disait Philippe. Non, mais, qu'est-ce qui lui a pris ? Elle a l'air d'un singe habillé. Elle a l'air d'une mulâtresse [5] qui va communier... »

À côté de Vinca, une petite sœur, à peu près pareille, ouvrait
45 des yeux bleus dans un rond visage cuit, sous des cheveux blonds en chaume [6] raide, et appuyait sur la nappe, à côté de l'assiette, des poings clos d'enfant bien élevée. Deux robes blanches pareilles habillaient la grande et la petite, repassées, empesées [7], en organdi [8] à volants.

---

1. _Morgue_ : arrogance, orgueil.
2. _Scabieuses_ : plantes herbacées.
3. _Boutades_ : plaisanteries.
4. _Courlis_ : oiseaux échassiers migrateurs, à long bec courbe, qui vivent près de l'eau.
5. _Mulâtresse_ : métisse.
6. _Chaume_ : paille.
7. _Empesées_ : imprégnées d'amidon, qui durcit le tissu.
8. _Organdi_ : mousseline de coton, très légère et empesée.

50 «Un dimanche à Tahiti, railla Philippe en lui-même. Je ne l'ai jamais vue si laide.»

La mère de Vinca, le père de Vinca, la tante de Vinca, Phil et ses parents, le Parisien de passage cernaient la table de chandails verts, de blazers[1] rayés, de vestons en tussor[2]. La villa, louée tous
55 les ans par les deux familles amies, sentait ce matin la brioche chaude et l'encaustique[3]. L'homme grisonnant, venu de Paris, représentait, parmi ces baigneurs bariolés et ces enfants noircis, l'étranger délicat, pâle et bien vêtu.

– Comme tu changes, petite Vinca ! dit-il à la jeune fille.
60 – Parlons-en, marmotta[4] Phil hargneux.

L'étranger se pencha vers la mère de Vinca pour lui avouer à mi-voix :

– Elle devient ravissante ! Ravissante ! Dans deux ans... vous la verrez !
65 Vinca entendit, jeta un vif regard féminin sur l'étranger, et sourit. La bouche pourpre se fendit sur une lame de dents blanches, les prunelles, bleues comme la fleur dont elle portait le nom, se voilèrent de cils blonds, et Phil lui-même fut ébloui. «Eh !... qu'est-ce qu'elle a ? »
70 Dans le hall tendu de toile, Vinca servit le café. Elle évoluait roidement[5] et sans heurt, avec une sorte de charme acrobatique. Un coup de vent ayant bousculé la table fragile, Vinca retint du pied une chaise renversée, du menton un napperon de dentelle qui s'envolait, et ne cessa point de verser, en même temps, un jet
75 impeccable de café dans une tasse.

---

1. Blazers : vestes de couleur vive ou à rayures, souvent ornées d'un écusson et portées dans les collèges anglais. Le mot « blazer » est employé dans la langue française vers 1920.
2. Tussor : étoffe de soie légère.
3. Encaustique : produit d'entretien du bois à base de cire.
4. Marmotta : murmura, marmonna.
5. Roidement : avec raideur.

– Voyez-la ! s'extasia l'étranger.

Il la traita de «tanagra[1]», l'obligea à goûter de la chartreuse[2], lui demanda les noms des amoureux qu'elle désolait au casino de Cancale[3]...

80 – Ah ! ah ! le casino de Cancale ! Mais il n'y a pas de casino à Cancale !

Elle riait, montrant le demi-cercle solide de toutes ses dents, virait comme une ballerine sur la pointe de ses souliers blancs. La ruse lui venait, avec la coquetterie ; elle ne tournait pas son
85 regard vers Philippe, qui, sombre derrière le piano et le grand bouquet de chardons planté dans un seau de cuivre, la contemplait.

«Je m'étais trompé, s'avoua-t-il. Elle est très jolie. Voilà du nouveau ! »

90 Comme l'étranger, au son du phonographe[4], proposait à Vinca de lui apprendre le *balancello*[5], Philippe se glissa dehors, courut vers la plage et tomba en boule dans un creux de dune, où il mit sa tête sur ses bras et ses bras sur ses genoux. Une Vinca nouvelle, pleine d'insolence voluptueuse, persistait sous ses pau-
95 pières fermées, Vinca coquette, bien armée, accrue tout à coup d'une chair ronde, Vinca méchante et rebelle à souhait...

– Phil ! mon Phil ! Je te cherchais... Qu'est-ce que tu as ?

La séductrice, haletante, était auprès de lui, et lui tirait ingénument les cheveux à poignée pour l'obliger à relever le front.

100 – Je n'ai rien, dit-il d'une voix enrouée.

---

1. *Tanagra* : jeune fille fine et gracieuse. Le mot a pour origine les statuettes réalisées dans la région de Tanagra, en Grèce, aux IVe et IIIe siècles av. J.-C.
2. *Chartreuse* : liqueur à base de plantes.
3. *Cancale* : petite ville de Bretagne, située sur la côte, à l'est de Saint-Malo, toute proche de Rozven, où Colette possédait une maison que lui avait offerte Missy (voir présentation, p. 16).
4. *Phonographe* : ancêtre du tourne-disque.
5. *Balancello* : danse à la mode au début des années 1920 en France (mot italien).

Il ouvrit les yeux avec crainte. Agenouillée dans le sable, elle froissait ses dix volants d'organdi et se traînait comme une squaw [1].

– Phil ! je t'en prie, ne sois pas fâché... Tu as quelque chose
105 contre moi... Phil, <u>tu sais bien que je t'aime mieux que tout le monde</u>. Parle-moi, Phil !

Il cherchait sur elle la splendeur éphémère qui l'avait irrité. Mais ce n'était plus qu'une Vinca consternée, une adolescente chargée, trop tôt, de l'humilité, des maladresses, de la morne obs-
110 tination du véritable amour... Il lui arracha sa main qu'elle baisait :

– Laisse-moi ! Tu ne comprends pas, tu ne comprends jamais rien !... Lève-toi, voyons !

Et il cherchait, lissant la robe froissée, nouant le ruban de la
115 ceinture, calmant les raides cheveux dressés dans le vent, il cherchait à remodeler sur elle la forme de la petite idole entrevue...

---

1. *Squaw* : en Amérique du Nord, épouse d'un Indien.

3

– Les vacances, à présent, c'est l'affaire d'un mois et demi, quoi !...

– Un mois, dit Vinca. Tu sais bien que je serai le vingt septembre à Paris.

5 – Pourquoi ? Ton père est libre jusqu'au premier octobre, tous les ans.

– Oui, mais maman et moi, et Lisette, nous n'avons pas trop de temps, du vingt septembre au quatre octobre, pour les affaires d'automne, – une robe pour aller au cours, un manteau, un cha-
10 peau pour moi, et la même chose pour Lisette... Je voulais dire nous, les femmes, enfin...

Phil, couché sur le dos, jeta des poignées de sable en l'air.

– Ah ! la la... « Vous, les femmes... » Vous en faites des embarras, pour tout ça !

15 – Il faut bien... Toi, tu trouves ton complet[1] préparé sur ton lit. Tu t'occupes juste de tes chaussures, parce que tu les achètes chez un marchand où ton père te défend d'aller ; le reste, ça te pousse tout seul. C'est bien commode, vous, les hommes !...

20 Philippe s'assit d'un coup de reins, prêt à répondre à l'ironie. Mais Vinca ne se moquait pas. Elle cousait, bordant d'un feston [2]

---

1. Complet : costume masculin composé d'une veste, d'un pantalon et éven-
tuellement d'un gilet de même tissu.
2. Feston : broderie en forme de dent arrondie utilisée comme bordure.

rose une robe en crépon [1] du même bleu que ses yeux. Ses cheveux blonds, taillés à la Jeanne d'Arc, allongeaient lentement. Elle les divisait quelquefois sur la nuque, et liait de rubans bleus deux
25 courts balais couleur de blé, au long de chaque joue. Depuis le déjeuner, elle avait perdu un de ses rubans, et la moitié de sa chevelure battait, en rideau déployé, la moitié de son visage.

Philippe fronça les sourcils :

– Dieu, que tu es mal peignée, Vinca !

30 Elle rougit sous son hâle de vacances et lui jeta un humble regard en repoussant ses cheveux derrière l'oreille :

– Je sais bien… Je serai mal coiffée tant que mes cheveux seront trop courts. Cette coiffure-là, c'est en attendant…

– La laideur temporaire, ça t'est égal… dit-il durement.

35 – Je te jure que non, Phil.

Honteux de tant de douceur, il se tut, et elle leva sur lui des yeux étonnés, car elle n'attendait point de mansuétude [2]. Lui-même crut à une trêve passagère de susceptibilité et s'apprêta aux reproches, aux sarcasmes [3] enfantins, à ce qu'il appelait l'«humeur
40 lévrière» de sa petite compagne. Mais elle sourit mélancoliquement, d'un sourire errant qui s'adressait à la mer calme, au ciel où le vent haut dessinait des fougères de nuages.

– J'ai, au contraire, très envie d'être jolie, je t'assure. Maman dit que je peux encore le devenir, mais qu'il faut patienter.

45 Ses quinze ans fiers et gauches, entraînés à la course, salés, durcis, maigres et solides, la rendaient souvent pareille à une houssine [4] cinglante et cassante, mais ses yeux d'un bleu incomparable, sa bouche simple et saine étaient des œuvres achevées de la grâce féminine.

---

1. Crépon : étoffe épaisse à base de laine ou de coton à laquelle on a donné un aspect légèrement gaufré.

2. Mansuétude : bonté, indulgence.

3. Sarcasmes : moqueries.

4. Houssine : baguette en bois servant à faire avancer un cheval ou à battre les tapis et les vêtements.

50 – Patienter, patienter…

Phil se leva, gratta du bout de son espadrille la dune sèche, perlée de petits escargots vides. Un mot détesté venait d'empoisonner sa sieste heureuse de lycéen en vacances, dont les seize ans vigoureux s'accommodaient d'oisiveté, de langueur immobile,
55 mais que l'idée d'attente, de patiente évolution exaspérait. Il tendit les poings, bomba sa poitrine demi-nue, défia l'horizon :

– Patienter ! Vous n'avez que ce mot-là à la bouche, tous ! Toi, mon père, mes « prof's »… Ah ! bon Dieu…

Vinca cessa de coudre, pour admirer son compagnon harmo-
60 nieux que l'adolescence ne déformait pas. Brun, blanc, de moyenne taille, il croissait lentement et ressemblait, depuis l'âge de quatorze ans, à un petit homme bien fait, un peu plus grand chaque année.

– Et que faire d'autre, Phil ? Il faut bien. Tu crois toujours que
65 de tendre tes deux bras et de jurer : « Ah ! bon Dieu », ça y changera quelque chose. Tu ne seras pas plus malin que les autres. Tu te représenteras à ton bachot[1] et, si tu as de la chance, tu seras reçu…

– Tais-toi ! cria-t-il. Tu parles comme ma mère !

– Et toi comme un enfant ! Qu'est-ce que tu espères donc, mon
70 pauvre petit, avec ton impatience ?

Les yeux noirs de Philippe la haïssaient, parce qu'elle l'avait appelé « mon pauvre petit ».

– Je n'espère rien ! dit-il tragiquement. Je n'espère surtout pas que tu me comprennes ! Tu es là, avec ton feston rose, ta rentrée,
75 ton cours, ton petit train-train… Moi, rien que l'idée que j'ai seize ans et demi bientôt…

Les yeux de la Pervenche, étincelants de larmes d'humiliation, réussirent à rire :

– Ah ! oui ? tu te sens le roi du monde, parce que tu as seize
80 ans, n'est-ce pas ? C'est le cinéma qui te fait cet effet-là ?

Phil la prit par l'épaule, la secoua en maître :

---

1. *Bachot* : baccalauréat (familier).

– Je te dis de te taire ! Tu n'ouvres la bouche que pour dire une bêtise… Je crève, entends-tu, je crève à l'idée que je n'ai que seize ans ! Ces années qui viennent, ces années de bachot, d'examens, d'institut professionnel, ces années de tâtonnements, de bégaiements, où il faut recommencer ce qu'on rate, où on remâche deux fois ce qu'on n'a pas digéré, si on échoue… Ces années où il faut avoir l'air, devant papa et maman, d'aimer une carrière pour ne pas les désoler, et sentir qu'eux-mêmes se battent les flancs pour paraître infaillibles, quand ils n'en savent pas plus que moi sur moi… Oh ! Vinca, Vinca, je déteste ce moment de ma vie ! Pourquoi est-ce que je ne peux pas tout de suite avoir vingt-cinq ans ?

Il rayonnait d'intolérance et d'une sorte de désespoir traditionnel. La hâte de vieillir, le mépris d'un temps où le corps et l'âme fleurissent, changeaient en héros romantique cet enfant d'un petit industriel parisien. Il tomba assis aux pieds de Vinca et continua à se lamenter :

– Tant d'années encore, Vinca, pendant lesquelles je ne serai qu'à peu près homme, à peu près libre, à peu près amoureux !

Elle posa sa main sur les cheveux noirs que le vent rebroussait, au niveau de ses genoux, et contint tout ce qu'une sagesse de femme agitait en elle. « À peu près amoureux ? On peut donc n'être qu'à peu près amoureux ?… »

Phil se tourna violemment vers son amie.

– Toi, toi, qui supportes tout ça, qu'est-ce que tu comptes faire ?

Sous le noir regard, elle reprit sa petite figure incertaine :

– Mais la même chose, Phil… Je ne passe pas mon bachot, moi.

– Tu seras quoi ? Tu te décides ou non, pour le dessin industriel ? Ou la pharmacie ?

– Maman a dit…

Il rua de colère comme un poulain, sans se lever :

– « Maman a dit… ! » Oh ! quelle graine d'esclave ! Qu'est-ce qu'elle a dit, « maman » ?

115 – Elle a dit, répéta Vinca docilement, qu'elle a des rhuma-
tismes, que Lisette n'a que huit ans, et que sans aller chercher si
loin j'ai de quoi m'occuper chez nous, que bientôt je tiendrai les
comptes de la maison, je devrai diriger l'éducation de Lisette, les
domestiques, tout ça, enfin…

120 – Tout ça ! Trois fois rien !

– … Que je me marierai… »

Elle rougit, sa main quitta les cheveux de Philippe, et elle sem-
bla espérer un mot qu'il ne prononça pas.

– … Enfin que, jusqu'à ce que je me marie, j'ai de quoi m'oc-
125 cuper…

Il se retourna, la toisa[1] avec dédain.

– Et ça te suffit ? Ça te suffit pour… voyons, cinq, six ans, peut-
être plus ?

Les yeux bleus vacillèrent, mais ne se détournèrent pas.

130 – Oui, Phil, en attendant… Puisqu'on n'a que quinze et seize
ans… Puisqu'on est forcés d'attendre…

Il reçut le choc du mot détesté et faiblit. Encore une fois la simplicité de sa petite compagne et la soumission qu'elle osait
avouer, cette manière femelle de révérer des lares[2] anciens et
135 modestes, le laissaient muet, déçu, mais vaguement apaisé. Eût-il
accepté Vinca exubérante, le nez tourné vers l'aventure et piéti-
nant, comme une cavale à l'entrave[3], devant le long et dur passage de l'adolescence ?…

ou qqch d'autre, peut-être

Il appuya sa tête contre la robe de son amie d'enfance. Les
140 genoux fins tressaillirent et se serrèrent, et Philippe songea, avec
une fougue soudaine, à la forme charmante de ces genoux. Mais
il ferma les yeux, livra le poids confiant de sa tête et demeura là,
en attendant…

---

1. *Toisa* : regarda avec mépris.
2. *Lares* : chez les Romains, esprits chargés de protéger la maison. Souvent,
les lares sont les âmes des ancêtres devenues protectrices du foyer.
3. *Comme une cavale à l'entrave* : comme une jument dont les jambes
seraient reliées par un billot, pour gêner sa marche.

4

Phil atteignit le premier le chemin – deux ornières[1] de sable sec, mobile comme une onde, un talus médian[2] d'herbe rare et rongée de sel – par où les charrettes viennent chercher le goémon[3], après les grandes marées. Il s'appuyait sur les perches des 5 deux havenets et portait en bandoulière les deux paniers à crevettes, mais il avait abandonné à Vinca les deux minces gaffes[4] appâtées de poisson cru et son blazer de pêche, loque[5] précieuse amputée de ses manches. Il s'accorda un repos bien gagné, et consentit à attendre sa petite compagne fanatique qu'il venait 10 d'abandonner dans le désert de rocs, de flaques et d'algues que découvrait la grande marée d'août. Il la chercha des yeux avant de se laisser glisser au creux du chemin. En bas de la plage déclive[6], parmi les feux de cent petits miroirs d'eau d'où rejaillissait le soleil, un béret de laine bleue, décoloré comme un chardon 15 des dunes, marquait la place où Vinca, obstinée, cherchait encore la crevette et le tourteau[7] rosé.

---

1. Ornières : traces plus ou moins profondes qu'une voiture laisse dans un chemin.
2. Médian : qui est situé au milieu.
3. Goémon : algue marine.
4. Gaffes : perches munies d'un croc ou d'une pointe servant à accrocher le poisson.
5. Loque : pièce de tissu usée, déchirée. L'expression « loque précieuse » est un oxymore.
6. Déclive : en pente.
7. Tourteau : gros crabe.

– Si ça l'amuse !… souffla Philippe.

Il se laissa glisser, épousa délicieusement, de son torse nu, l'or-
nière de sable frais. Près de sa tête il entendait dans les paniers le
20 chuchotement humide d'une poignée de crevettes et le grattement
intelligent des pinces d'un gros crabe contre le couvercle…

Phil soupira, atteint d'un bonheur vague et sans tache auquel
la fatigue agréable, la vibration de ses muscles encore tendus par
l'escalade, la couleur et la chaleur d'un après-midi breton chargé
25 de vapeur saline, versaient, chacune, leur part. Il s'assit, les yeux
éblouis par le ciel laiteux qu'ils avaient contemplé et revit avec
surprise le bronze nouveau de ses jambes, de ses bras – bras et
jambes de seize ans, minces, mais d'une forme pleine d'où le
muscle sec n'avait pas encore émergé et qui pouvaient enorgueillir
30 une jeune fille autant qu'un jeune homme. Il essuya, de la main,
sa cheville qui saignait, écorchée, et lécha sur sa main le sang et
l'eau marine qui mêlaient leur sel.

La brise, soufflant de terre, sentait le regain[1] fauché, l'étable,
la menthe foulée ; un rose poussiéreux, au ras de la mer, rempla-
35 çait peu à peu le bleu immuable qui régnait depuis le matin.
Philippe ne sut pas se dire : « Il est peu d'heures dans la vie où le
corps content, les yeux récompensés et le cœur léger, retentissant,
presque vide, reçoivent en un moment tout ce qu'ils peuvent
contenir, et je me souviendrai de celle-ci » ; mais il suffit pourtant
40 d'une clarine[2] fêlée et de la voix du chevreau qui la balançait à
son cou, pour que les coins de sa bouche tressaillissent d'angoisse, et que le plaisir emplît ses yeux de larmes. Il ne se tourna
pas vers les rochers mouillés où errait son amie, et de son émo-
tion pure ne s'exhala point[3] le nom de Vinca ; un enfant de seize
45 ans ne saurait appeler, au secours d'un délice inespéré, une autre
enfant, peut-être pareillement chargée…

---

1. *Regain* : herbe qui repousse dans une prairie après la première coupe.
2. *Clarine* : clochette attachée au cou du bétail.
3. *Ne s'exhala point* : ne s'échappa pas.

– Hep ! petit !

La voix qui l'éveilla était jeune, autoritaire. Phil se tourna, sans
se lever, vers une dame tout de blanc vêtue qui enfonçait, à dix
50 pas de lui, ses hauts talons blancs et sa canne dans le chemin du
goémon.

– Dis-moi donc, petit, je ne peux pas mener mon auto plus
loin dans ce chemin-là, n'est-ce pas ?

Par politesse, Philippe se leva, s'approcha, et ne rougit que
55 quand il fut debout, en sentant sur son torse nu le vent rafraîchi
et le regard de la dame en blanc, qui sourit et changea de ton.

– Pardon, monsieur… je suis sûre que mon chauffeur s'est
trompé. J'ai eu beau l'avertir… Cette route finit en sentier et ne
va que vers la mer, n'est-ce pas ?

60 – Oui, madame. C'est le chemin du goémon.

– Du Goémon ? Et à quelle distance se trouve le Goémon ?

Phil n'eut pas le temps de retenir un éclat de rire que la dame
blanche imita complaisamment :

– J'ai dit quelque chose de drôle ? Prenez garde, je vais vous
65 retutoyer : vous paraissez douze ans, quand vous riez.

Mais elle le regardait dans les yeux, comme un homme.

– Madame, le goémon, ce n'est pas le Goémon, c'est… c'est
du goémon.

– Lumineuse explication, approuva la dame blanche, et dont
70 je vous suis bien obligée[1].

Elle raillait d'une manière virile, condescendante[2], qui avait le
même accent que son regard tranquille, et Philippe se sentit tout
à coup fatigué, penchant et faible, paralysé par une de ces crises
de féminité qui saisissent un adolescent devant une femme.

75 – Vous avez fait bonne pêche, monsieur ?

– Non, madame, pas beaucoup… C'est-à-dire… Vinca a plus
de crevettes que moi…

---

1. *Dont je vous suis bien obligée* : dont je vous suis reconnaissante, redevable.
Les remerciements de la Dame en blanc sont ici ironiques.
2. *Condescendante* : hautaine, supérieure.

– Qui est Vinca ? Votre sœur ?

– Non, madame, c'est une amie.

80 – Vinca… Un nom étranger ?

– Non… C'est-à-dire… Ça signifie Pervenche.

– Une amie de votre âge ?

– Elle a quinze ans. J'en ai seize.

– Seize ans… répéta la dame blanche.

85 Elle ne fit aucun commentaire, et ajouta un moment après :

– Vous avez du sable sur la joue.

Il s'essuya la joue avec emportement, à s'écorcher la peau, puis son bras retomba. «Je ne sens plus mes bras, songea-t-il. Je crois que je vais me trouver mal…

90 La dame blanche délivra Philippe de son regard tranquille et sourit :

– Voici Vinca, dit-elle en désignant le tournant du chemin où la jeune fille apparaissait, halant[1] un filet à cadre de bois et le veston de Philippe. Au revoir, monsieur… ?

95 – Phil, dit-il machinalement.

Elle ne lui tendit pas la main et le salua d'un signe de tête deux ou trois fois répété, comme une femme qui répond «oui, oui» à une pensée cachée. Elle n'était pas encore hors de vue quand Vinca accourut.

100 – Phil ! Qu'est-ce que c'est que cette dame ?

Des épaules et de tout le visage, il exprima qu'il n'en savait rien.

– Tu ne la connais pas et tu lui parles ?

Phil toisa sa petite amie avec une malice qui renaissait en lui et secouait un joug[2] passager. Il percevait joyeusement leur âge,
105 leur amitié déjà troublée, son propre despotisme[3] et la dévotion[4] hargneuse de Vinca. Ruisselante, elle montrait des genoux meur-

---

1. «Haler» est un terme de marine qui signifie «tirer à l'aide d'un cordage»; par extension, le mot signifie «remorquer».

2. *Joug* : contrainte matérielle ou morale qui pèse sur une personne.

3. *Despotisme* : autorité tyrannique.

4. *Dévotion* : attachement, dévouement; «dévotion hargneuse» est un oxymore.

tris de saint Sébastien [1], parfaits sous leur épiderme balafré [2] ; des mains d'aide-jardinier ou de mousse [3] ; un mouchoir verdi la cravatait et son blouson sentait la moule crue. Son vieux béret poilu
110 ne luttait plus avec le bleu de ses yeux et, sauf ces yeux anxieux, jaloux, éloquents, elle ressemblait à un collégien déguisé pour une charade [4]. Phil se mit à rire et Vinca frappa du pied, en lui jetant son blazer à la figure :

– Veux-tu me répondre ?

115 Il passa nonchalamment ses bras nus dans les emmanchures vides du veston.

– Bête, va ! C'est une dame avec son auto, qui se trompait de route. Un peu plus, l'auto s'enlisait ici. Je l'ai renseignée.

– Ah…

120 Assise, Vinca vidait ses espadrilles d'où pleuvaient les graviers mouillés.

– Et pourquoi est-ce qu'elle est partie si vite, juste au moment où je venais ?

Philippe prit son temps avant de répondre. Il goûta de nou-
125 veau, en secret, l'assurance sans gestes, le ferme regard de l'inconnue, et son sourire méditatif. Il se souvint qu'elle l'appelait « monsieur » gravement. Mais il se souvint aussi qu'elle avait dit « Vinca » tout court, d'une manière trop familière et un peu injurieuse. Il fronça les sourcils et son regard protégea l'innocent
130 désordre de son amie. Il rêva un moment et trouva une réponse ambiguë qui satisfaisait en même temps son goût du secret romanesque et sa pudibonderie [5] de jeune bourgeois :

– Elle a aussi bien fait, répondit-il.

---

1. *Saint Sébastien* : saint chrétien mort criblé de flèches.

2. *Balafré* : couvert de cicatrices.

3. *Mousse* : jeune garçon de moins de seize ans qui fait sur un navire de commerce l'apprentissage du métier de marin.

4. *Charade* : variante du jeu verbal qui consiste à mimer les mots que l'on veut faire deviner.

5. *Pudibonderie* : pudeur exagérée.

5

Il essaya de la prière [1] :

– Vinca ? regarde-moi ! Donne-moi la main… Pensons à autre chose !

Elle se détourna vers la fenêtre et retira doucement sa main :

– Laisse-moi. Je suis découragée.

La grande marée d'août, amenant la pluie, emplissait la fenêtre. La terre finissait là, à la lisière du pré sableux. Encore un effort du vent, encore un soulèvement du champ gris labouré d'écumes parallèles, et la maison, sans doute, voguerait comme une arche… Mais Phil et Vinca connaissaient la marée d'août et son tonnerre monotone, la marée de septembre et ses chevaux blancs échevelés. Ils savaient que ce bout de prairie demeurait infranchissable, et leur enfance avait nargué, tous les ans, les lanières savonneuses qui dansaient, impuissantes, au bord rongé de l'empire des hommes.

Phil rouvrit la porte vitrée, la referma avec effort, fit tête au vent et tendit son front à la pluie fine, vannée [2] par la tempête, la douce pluie marine un peu salée qui voyageait dans l'air comme une fumée. Il ramassa sur la terrasse les boules cloutées d'acier et le cochonnet [3] de buis, abandonnés le matin, les tambourins et les

---

1. « Essayer de la prière » signifie « mettre à l'essai une chose, une personne pour voir si elle est propre à ce qu'on en veut faire » (*Dictionnaire de l'Académie*, 1936).

2. *Vannée* : ici, dont les gouttes sont dispersées par la tempête (sens figuré).

3. *Cochonnet* : petite boule en bois servant de but aux jeux de boules.

balles de caoutchouc. Il rangea dans une resserre[1] ces jouets qui ne l'amusaient plus, comme on range les pièces d'un déguisement qui doit servir longtemps. Derrière la fenêtre les yeux de la Pervenche le suivaient et les gouttes glissantes, le long de la vitre,
25 semblaient ruisseler de ces yeux anxieux, d'un bleu qui ne dépendait ni de l'étain jaspé[2] du ciel, ni du plomb verdi de la mer.

Phil plia les fauteuils de bois, retourna la table en rotin[3]. Il ne souriait pas, en passant, à sa petite amie. Depuis longtemps ils n'avaient plus besoin de se sourire pour se plaire, et rien aujour-
30 d'hui ne les conduisait à la joie.

« Encore quelques jours, trois semaines », se dit Phil. Il essuya le sable de ses mains à une touffe de serpolet[4] mouillé, chargée de fleurs et de petits frelons saisis par la pluie, qui attendaient, engourdis, le prochain rayon. Il respira sur ses paumes le frais par-
35 fum chaste, et résista à une vague de faiblesse, de douceur, à une tristesse d'enfant de dix ans. Mais il regarda contre la vitre, entre les longues larmes de la pluie et les corolles[5] tournoyantes des volubilis[6] défaits, le visage de Vinca, ce visage de femme qu'elle ne montrait qu'à lui, et qu'elle cachait à tous derrière ses quinze
40 ans de jeune fille raisonnable et gaie.

Une éclaircie retint l'averse dans la nue[7], entrouvrit au-dessus de l'horizon une plaie lumineuse, d'où s'épanouit un éventail renversé de rayons, d'un blanc triste. L'âme de Philippe s'élança audevant de cette trêve, quêtant le bienfait, la détente que ses seize ans
45 tourmentés revendiquaient naïvement. Mais, tourné vers la mer, il sentait derrière lui la fenêtre fermée et Vinca appuyée à la vitre.

---

1. Resserre : endroit où l'on range, où l'on remise certaines choses.
2. Jaspé : dont la couleur et l'aspect rappellent le jaspe (une roche).
3. Rotin : végétal utilisé pour la confection de sièges et de meubles.
4. Serpolet : herbe aromatique, variété de thym.
5. Corolles : ensemble des pétales d'une fleur.
6. Volubilis : variété de plantes grimpantes à grosses fleurs colorées en forme d'entonnoir.
7. Nue : nuages.

« Encore quelques jours, se répéta-t-il. Et nous serons séparés. Que faire ? »

Il ne songea même pas que la fin des vacances, l'an dernier, avait fait de lui un jeune garçon malheureux, puis calmé par le retour à Paris et l'externat, et résigné à des consolations dominicales [1]. L'année dernière, Philippe avait quinze ans ; chaque anniversaire relègue, dans un passé trouble et misérable, tout ce qui n'est pas Vinca et lui. L'aime-t-il donc à ce point ? Il s'interrogea, ne trouva pas d'autre mot que le mot amour, et rejeta rageusement ses cheveux hors de son front.

« Ce n'est peut-être pas que je l'aime tant que ça, mais elle est à moi ! Voilà ! »

Il se retourna vers la maison et cria dans le vent :

– Vinca ! Viens ! Il ne pleut plus !

Elle ouvrit la porte et se tint sur le seuil comme une malade, en haussant une épaule contre son oreille d'un air craintif.

– Viens, voyons ! La mer redescend, elle va remporter la pluie !

Elle banda ses cheveux d'un foulard blanc noué sur la nuque et ressembla à une blessée.

– Viens jusqu'au Nez [2], au moins, c'est sec sous le rocher.

Elle le suivit sans mot dire, dans le sentier de la douane en corniche [3] à flanc de falaise. Ils foulaient l'origan [4] poivré et les derniers parfums du mélilot [5]. Au-dessous d'eux, la mer claquait en drapeaux déchirés et léchait onctueusement les rocs. Sa force repoussait vers le haut de la falaise des bouffées tièdes, qui portaient l'odeur de la moule et l'arôme terrestre des petites brèches où le vent et l'oiseau sèment, en volant, des graines.

Ils parvinrent à leur retraite, sèche, bien abritée sous une proue de rochers, aire sans rebords d'où l'on semblait voguer vers la

---

1. Dominicales : du dimanche.

2. Nez : nom de lieu dans la région de Rozven.

3. Corniche : route surplombant la mer.

4. Origan : herbe aromatique.

5. Mélilot : plante dont les fleurs sont utilisées en pharmacie et en parfumerie.

haute mer. Philippe s'assit à côté de Vinca, qui appuya sa tête à son épaule. Elle paraissait épuisée et ferma aussitôt les yeux. Ses joues brunes, roses et rondes, sablées de grains roux, veloutées d'un duvet ras d'une suavité[1] végétale, avaient pâli depuis le
80 matin, de même que sa bouche fraîche, toujours un peu fendillée comme un fruit mordu par l'ardeur du jour.

Après le déjeuner, au lieu d'opposer aux plaintes de son «amoureux d'enfance» son bon sens habituel de petite bourgeoise intelligente, têtue et douce, elle avait éclaté en larmes, en aveux
85 désespérés, en amères constatations qui haïssaient leur jeunesse, l'avenir hors d'atteinte, la fuite impossible, la résignation inacceptable... Elle avait crié : «Je t'aime ! » comme on crie «Adieu ! » et : «Je ne peux plus te quitter ! » avec des yeux pleins d'horreur. L'amour, grandi avant eux, avait enchanté leur enfance et gardé leur
90 adolescence des amitiés équivoques. Moins ignorant que Daphnis[2], Philippe révérait et rudoyait Vinca en frère, mais la chérissait comme si on les eût, à la manière orientale, mariés dès le berceau...

Vinca soupira, rouvrit les yeux sans soulever sa tête :

– Je ne te fatigue pas, Phil ?

95 Il fit signe que non, admirant, si près des siens, ces yeux bleus dont le bleu, chaque fois plus doux à son cœur, palpitait entre des cils à pointes blondes.

– Tu vois, dit-il, la tempête descend. Il y aura encore grosse mer à quatre heures du matin... Mais nous tenons l'éclaircie, et
100 ce soir un beau lever de pleine lune...

D'instinct, il parlait d'embellie, d'apaisement, menait Vinca vers des images sereines. Mais elle ne répondit rien.

– Tu viendras, demain, jouer au tennis chez les Jallon ?

Elle dit non de la tête, les yeux refermés, avec une fureur sou-
105 daine, comme si elle refusait à jamais le boire, le manger, le vivre...

---

1. **Suavité** : douceur.
2. **Daphnis** : personnage d'adolescent créé par Longus (voir présentation, p. 10, et dossier, p. 146).

– Vinca ! pria Philippe sévèrement. Il le faut. Nous irons.

Elle entrouvrit la bouche, promena sur la mer un regard de condamnée :

110 – Nous irons donc, répéta-t-elle. À quoi bon n'y pas aller ? À quoi bon y aller ? Rien ne changera rien.

Ils songèrent tous les deux au jardin des Jallon, au tennis, au goûter. Ils songèrent, amants purs et forcenés, au jeu qui les déguiserait, demain encore, en enfants rieurs, et se sentirent recrus de

115 fatigue.

« Encore quelques jours, se dit Philippe, et nous serons séparés. Nous ne nous éveillerons plus sous le même toit, et je ne verrai Vinca que le dimanche, chez son père, chez le mien ou au cinéma. Et j'ai seize ans. Seize et cinq vingt et un. Des centaines, des cen-

120 taines de jours… Quelques mois de vacances, c'est vrai, mais dont la fin est atroce… Et pourtant elle est à moi. Elle est à moi… »

Il s'aperçut alors que Vinca glissait de son épaule. D'un mouvement doux, insensible, volontaire, elle glissait, les yeux fermés, sur la pente du plateau de rochers, si étroit que les pieds de Vinca

125 ballaient déjà dans le vide… Il comprit et ne trembla pas. Il pesa l'opportunité de ce que tentait son amie, et resserra son bras autour des reins de Vinca, pour ne se point délier d'elle. Il éprouva, en le serrant contre lui, la réalité bien vivante, élastique, la vigoureuse perfection de ce corps de jeune fille prêt à lui obéir

130 dans la vie, prêt à l'entraîner dans la mort…

« Mourir ? À quoi bon ?… Pas encore. Faut-il partir pour l'autre monde sans avoir véritablement possédé tout cela, qui naquit pour moi ? »

Sur ce roc incliné, il rêva de possession comme en peut rêver

135 un adolescent timide, mais aussi comme un homme exigeant, un héritier âprement résolu à jouir des biens que lui destinent le temps et les lois humaines. Il fut, pour la première fois, seul à décider du sort de leur couple, maître de l'abandonner au flot ou de l'agripper à la saillie du rocher, comme la graine têtue qui, nour-

140 rie de peu, y fleurissait…

Il hissa, resserrant ses bras en ceinture, le gracieux corps qui se faisait lourd, et éveilla son amie d'un appel bref :

– Vinca ! Allons !

145 Elle le contempla debout, au-dessus d'elle, le vit résolu, impatient, et comprit que l'heure de mourir était passée. Elle retrouva, avec un ravissement indigné, le rayon du couchant dans les yeux noirs de Philippe, ses cheveux désordonnés, sa bouche et l'ombre, en forme d'ailes, que dessinait sur sa lèvre un duvet viril, et elle cria :

150 – Tu ne m'aimes pas assez, Phil, tu ne m'aimes pas assez !

Il voulut parler, et se tut, car il n'avait pas de noble aveu à lui faire. Il rougit et baissa la tête, coupable d'avoir, – alors qu'elle glissait vers le lieu où l'amour ne tourmente plus, avant le temps, ses victimes, – traité son amie comme l'épave précieuse et scellée
155 dont le secret seul importe, et refusé Vinca à la mort.

6

L'odeur de l'automne, depuis quelques jours, se glissait, le matin, jusqu'à la mer.

De l'aube à l'heure où la terre, échauffée, permet que le souffle frais de la mer repousse l'arôme, moins dense, des sillons ouverts, du blé battu, des engrais fumants, ces matins d'août sentaient l'automne. Une rosée tenace étincelait au pied des haies, et si Vinca ramassait, à midi, quelque feuille de tremble[1], mûre et tombée avant son heure, le revers blanc de la feuille encore verte était humide et diamanté. Des champignons moites sortaient de terre, et les araignées des jardins, à cause des nuits plus fraîches, rentraient le soir dans la resserre aux jouets et s'y rangeaient sagement au plafond.

Mais le milieu des journées échappait aux rets[2] de la brume d'automne, aux fils de la Vierge[3] tendus sur les ronciers chargés de mûres, et la saison semblait rebrousser chemin vers juillet. Au haut du ciel, le soleil buvait la rosée, putréfiait[4] le champignon nouveau-né, criblait de guêpes la vigne trop vieille et ses raisins chétifs, et Vinca avec Lisette rejetaient, du même mouvement, le léger spencer[5] de tricot qui protégeait, depuis le petit déjeuner, le

---

1. *Tremble* : peuplier.

2. *Rets* : filet.

3. *Fils de la Vierge* : fils légers produits par diverses araignées et voltigeant dans les airs.

4. *Putréfiait* : faisait pourrir.

5. *Spencer* : veste courte ajustée (mot anglais).

20 haut de leurs bras et leurs cous nus, bruns hors de la robe
blanche. Il y eut ainsi une série de jours immobiles, sans vent,
sans nuages sauf des «queues-de-chat» laiteux, lents, qui parais-
saient vers midi et s'évanouissaient : des jours si divinement
pareils l'un à l'autre que Vinca et Philippe, apaisés, pouvaient
25 croire l'année arrêtée à son plus doux moment, mollement entra-
vée par un mois d'août qui ne finirait pas.

Vaincus par la félicité[1] physique, ils pensèrent moins à la sépa-
ration de septembre et quittèrent leur dramatique humeur d'adolescents déjà vieillis, à quinze et seize ans, par l'amour prématuré,
30 le secret, le silence et l'amertume périodique des séparations.

Quelques jeunes voisins, leurs compagnons de tennis et de
pêche, laissèrent la mer pour la Touraine ; les villas les plus
proches se fermèrent ; Philippe et Vinca demeurèrent seuls sur la
côte, dans la grande maison dont le hall de bois verni sentait le
35 bateau. Ils goûtèrent une solitude parfaite, entre des parents qu'ils
frôlaient à toute heure et ne voyaient presque pas. Vinca, occupée
de Philippe, remplissait pourtant tous ses devoirs de jeune fille,
cueillait au jardin des viornes[2] et des clématites[3] pelucheuses
pour la table ; au potager, les premières poires et les derniers cas-
40 sis ; elle servait le café, tendait à son père, au père de Philippe, l'al-
lumette enflammée, coupait et cousait des petites robes pour
Lisette, et vivait, parmi ces parents-fantômes qu'elle distinguait
mal et entendait peu, une vie étrange ; elle y endurait la demi-sur-
dité, la demi-cécité agréables d'un commencement de syncope[4].
45 Sa jeune sœur Lisette échappait encore au sort commun et brillait
de couleurs nettes et véridiques. Lisette ressemblait d'ailleurs à la
Pervenche comme un petit champignon ressemble à un champignon plus grand.

---

1. *Félicité* : bonheur.
2. *Viornes* : floraisons en bouquets blancs et à petites baies de l'arbrisseau
du même nom.
3. *Clématites* : fleurs roses ou violettes.
4. *Syncope* : évanouissement.

– Si je mourais, disait Vinca à Philippe, tu auras toujours
50 Lisette…

Mais Philippe haussait les épaules et ne riait pas, car les amants de seize ans n'admettent ni le changement, ni la maladie, ni l'infidélité, et ne font place à la mort dans leurs desseins que s'ils la décernent comme une récompense ou l'exploitent comme
55 un dénouement de fortune, parce qu'ils n'en ont pas trouvé d'autre.

Par le plus beau matin d'août, Phil et Vinca décidèrent d'abandonner la table familiale et d'emporter, dans une anse [1] à leur taille, leur déjeuner, leurs maillots de bain, et Lisette. Les années
60 précédentes, ils avaient souvent déjeuné seuls, en explorateurs, dans des creux de falaises ; plaisir usé, plaisir gâté maintenant par l'inquiétude et le scrupule. Mais le plus beau matin rajeunissait jusqu'à ces enfants égarés et qui se tournaient parfois, plaintivement, vers la porte invisible par où ils étaient sortis de leur
65 enfance. Philippe alla devant, sur le chemin de la douane, portant les havenets pour la pêche d'après-midi, et le filet où tintaient le litre de cidre mousseux et la bouteille d'eau minérale. Lisette, en chandail et maillot de bain, balançait le pain tiède noué dans une serviette, et Vinca fermait la marche, ficelée de sweater bleu et de
70 culottes blanches, chargée de paniers comme un âne d'Afrique. Aux tournants accidentés, Philippe criait sans se retourner :

– Attends, je vais prendre un des paniers !

– Ce n'est pas la peine, répondait Vinca.

Et elle trouvait moyen de diriger Lisette, quand les fougères
75 hautes submergeaient la petite tête et sa calotte de raides cheveux blonds.

Ils choisirent leur crique [2], une faille entre deux rochers, que les marées avaient pourvue de sable fin, et qui s'évasait en corne d'abondance jusqu'à la mer. Lisette quitta ses sandales et joua

---

1. *Anse* : crique, petite baie peu profonde.
2. *Crique* : enfoncement du rivage où l'on peut s'abriter.

80 avec des coquilles vides. Vinca roula sur ses cuisses brunes sa
culotte blanche et creusa le sable humide sous une roche, pour y
coucher au frais les bouteilles.

– Tu veux que je t'aide ? proposa mollement Philippe.

Elle ne daigna pas répondre et le regarda en riant silencieuse-
85 ment. Le bleu rare de ses yeux, ses joues assombries par le fard
chaud qu'on voit aux brugnons d'espalier [1], la double lame
courbe de ses dents, brillèrent un moment avec une force de couleurs inexprimable dont Philippe se sentit comme blessé. Mais
elle se détourna, et il la vit sans trouble aller, venir, se baisser agi-
90 lement, libre et dévêtue comme un jeune garçon.

– On le sait, va, que tu n'as apporté que ta bouche pour manger ! cria Vinca. Ah ! ces hommes !

L'« homme » de seize ans accepta la raillerie et l'hommage. Il
appela sévèrement Lisette quand la table fut mise, mangea les
95 sandwiches que lui beurrait son amie, but le cidre pur, trempa
dans le sel la laitue et les dés de gruyère, lécha sur ses doigts l'eau
des poires fondantes. Vinca veillait à tout comme un jeune échan-
son [2] au front ceint d'une bandelette bleue. Elle détachait pour
Lisette l'arête des sardines, dosait la boisson, pelait les fruits, puis
100 se hâtait de manger, à grands coups de ses dents bien plantées.
La mer descendante chuchotait bas, à quelques mètres ; une batteuse à grain bourdonnait là-haut sur la côte, et la roche, barbue
d'herbe et de fleurettes jaunes, distillait près d'eux une eau sans
sel, qui sentait la terre…
105 Philippe s'étendit, un bras plié sous la tête.

– Il fait beau, murmura-t-il.

Vinca, debout, les mains occupées à essuyer couteaux et
verres, laissa tomber sur lui le rayon bleu de son regard. Il ne bougea pas, cachant le plaisir qu'il ressentait lorsque son amie l'ad-

---

1. _Brugnons d'espalier_ : brugnons cultivés le long d'un mur.
2. _Échanson_ : au Moyen Âge, officier d'une maison royale ou seigneuriale
chargé de servir le vin à table.

mirait. Il se savait beau à cette minute, les joues chaudes, la bouche lustrée, le front couché dans un désordre harmonieux de cheveux noirs.

Vinca reprit sans mot dire sa besogne de petite squaw et Philippe ferma les yeux, bercé par le reflux, une lointaine cloche de midi, la chanson à mi-voix de Lisette. Un prompt et léger sommeil descendit sur lui, sommeil de sieste, percé par chaque bruit, mais utilisant chaque bruit au profit d'un rêve tenace : gisant sur cette côte blonde, après une dînette d'enfants, il fut en même temps un Phil très ancien et sauvage, dénué de tout, mais originairement comblé, puisqu'il possédait une femme...

Un cri plus haut l'obligea à soulever ses paupières ; près de la mer que l'éclat de midi et la lumière verticale privaient de sa couleur, Vinca, penchée sur Lisette, soignait quelque écorchure, tirait une épine d'une petite main levée et confiante... L'image ne troubla pas le songe de Philippe, qui referma les yeux :

– Un enfant... C'est juste, nous avons un enfant...

Son rêve viril où l'amour, devançant l'âge de l'amour, se laissait lui-même distancer par ses fins généreuses et simples, fonça vers des solitudes dont il fut le maître. Il dépassa une grotte, – un hamac de fibres creusé sous une forme nue, un feu rougeoyant qui battait de l'aile à ras de terre – puis perdit son sens divinatoire, sa puissance de vol, chavira, et toucha le fond moelleux du plus noir repos.

7

– C'est incroyable ce que les jours raccourcissent !

– Pourquoi incroyable ? Vous dites ça tous les ans à la même époque. Ce n'est pas vous qui changerez quelque chose au solstice[1], Marthe.

5 – Qui vous parle de solstice ? Je ne lui demande rien, au solstice ; qu'il me rende la pareille.

– L'inaptitude des femmes à certaines connaissances est bien curieuse. En voilà une à qui j'ai expliqué vingt fois le système des marées, et elle reste comme un mur devant la syzygie[2] !

10 – Auguste, ce n'est pas parce que vous êtes mon beau-frère que je vous écouterai plus que les autres…

– Seigneur ! je n'en suis plus à m'étonner que vous ne vous soyez pas mariée, Marthe. Ma femme, pousse-moi le cendrier, veux-tu ?

15 – Si je te le pousse, où veux-tu qu'Audebert mette les cendres de sa pipe ?

– Madame Ferret, ne vous mettez pas martel en tête, il y a assez de coquilles d'ormeaux[3], que les enfants ont semées sur toutes les tables.

---

1. Solstice : jour le plus court (solstice d'hiver) et jour le plus long (solstice d'été) de l'année dans l'hémisphère Nord.
2. Syzygie : terme d'astronomie désignant la conjonction ou l'opposition de la Lune avec le Soleil, correspondant aux périodes de pleine ou nouvelle lune.
3. Ormeaux : mollusques marins comestibles.

20   — C'est votre faute, Audebert. Le jour où vous leur avez dit : «C'est joli, ces coquilles d'ormeaux, ça ferait des cendriers artistiques», vous avez transformé leur vagabondage sur les rochers en mission de confiance. Pas vrai, Phil ?

    — Oui, monsieur Ferret.

25   — C'est même pour cette mission-là que votre fille a abandonné sa première entreprise commerciale, Ferret. Vinca avait inventé, savez-vous quoi ? de s'aboucher[1] avec Carbonieux, le grand marchand d'oiseaux et de graines, pour lui fournir des os de margat[2] où les serins s'aiguisent le bec en cage ! Vinca, dis un peu si je mens ?

30   — Non, monsieur Audebert.

    — Elle est plus commerçante qu'on ne croit, la mâtine[3]. Je me reproche quelquefois…

    — Oh ! Auguste, tu vas recommencer ?

    — Je recommencerai si je juge bon de recommencer. Voilà une

35 enfant que tu prétends garder à la maison, bon. Quelle pâture donneras-tu à son activité morale et physique ?

    — La même pâture qu'à la mienne. Tu ne me vois pas souvent me tourner les pouces, je crois ? Et puis, je la marierai. Un point, c'est tout.

40   — Ma sœur est pour les vieilles traditions.

    — Ce ne sont jamais les maris qui s'en plaignent.

    — Bien dit, madame Ferret. L'avenir d'une fille… Je sais bien que rien ne presse. Quinze ans. Vinca a encore le temps de se découvrir une vocation. Eh, Vinca ! tu entends ? Accusée, qu'avez-

45 vous à dire pour votre défense ?

    — Rien, monsieur Audebert.

    — «Rien, monsieur Audebert !» Ah ! tu t'en fais, une bile[4] ! Nos enfants se fichent pas mal de nous, Ferret ! Et ils sont d'un calme, ce soir !

---

1. *S'aboucher* : se mettre en rapport.

2. *Margat* : en fait «morgate», nom de la seiche dans le Finistère et le Morbihan.

3. *Mâtine* : malicieuse, turbulente.

4. *Tu t'en fais, une bile !* : tu t'en fais, du souci !

50 – Ils ont mené une vie insensée. Vinca n'a plus de fond, pour
ainsi parler, à sa culotte de pêche.

– Marthe !

– Quoi, «Marthe» ? Parce que j'ai parlé de culotte ? On n'est
pas des Anglais !

55 – Devant un jeune homme !

– Ce n'est pas un jeune homme, c'est Phil. Qu'est-ce que tu
dessines, mon vieux Phil ?

– Une turbine, monsieur Ferret.

– Mes compliments au futur ingénieur… Audebert, vous avez
60 vu la lune sur le Grouin[1] ? Il y a quinze étés que je la vois se lever
sur la mer, cette lune d'août, et je ne m'en lasse pas. Quand on
pense qu'il y a quinze ans, le Grouin était nu, et que c'est le vent
tout seul qui y a semé ces petits arbres…

– Vous me racontez ça comme à un touriste, Ferret ! Il y a
65 quinze ans, je cherchais un coin sur la côte pour y manger mes
premières six cents balles d'économies…

– Déjà quinze ans ! C'est vrai, Philippe ne marchait pas tout
seul… Ma femme, viens regarder la lune, je te demande un peu si
tu l'as jamais vue, depuis quinze ans, de cette couleur-là ? Elle
70 est… ma foi, elle est verte ! absolument verte !

Philippe leva sur Vinca des yeux inquisiteurs[2]. On venait d'évoquer un temps où elle n'était visible pour personne, et cependant
déjà un peu vivante… Il ne gardait d'ailleurs aucun souvenir précis de l'époque où ils trébuchaient ensemble sur ce sable blond des
75 vacances : la petite forme ancienne, mousseline blanche et chair
brunie, s'était dissoute. Mais quand il disait dans son cœur :
«Vinca ! », le nom appelait, inséparable de son amie, le souvenir
du sable, chaud aux genoux, serré et fuyant au creux des paumes…

Les yeux bleus de la Pervenche rencontrèrent ceux de Philippe,
80 et, comme eux impassibles, se détournèrent aussitôt.

---

1. *Grouin* : nom de lieu dans la région de Rozven.
2. *Inquisiteurs* : qui interrogent indiscrètement et de façon autoritaire.

– Vinca, tu ne montes pas te coucher ?

– Pas tout de suite, maman, s'il te plaît. Je finis le gros feston de la barboteuse[1] pour Lisette.

Elle parla d'une voix douce, puis rejeta loin d'elle et de
85 Philippe les pâles Ombres, à peines présentes, du cercle de famille. Phil, ayant dessiné une turbine, l'hélice d'un avion, le mécanisme d'une écrémeuse[2], ajouta sur les pales de son hélice les grands yeux ombrés qu'on voit aux ailes des paons-de-jour[3], quelques pattes délicates, et des antennes. Puis il traça un V
90 majuscule, et le déforma jusqu'à ce qu'il ressemblât, le crayon bleu aidant, à un œil d'azur, bordé de longs cils, – l'œil de Vinca.

– Regarde, Vinca.

Elle se pencha, posa sur le papier sa main de sauvagesse, brune comme un bois dur, et sourit :
95 – Tu n'es pas raisonnable.

– Qu'est-ce qu'il a encore fait ? cria M. Audebert.

Les deux jeunes gens tournèrent vers la voix un air d'étonnement un peu hautain.

– Rien, papa, dit Philippe. Des bêtises. J'ai mis des pattes à
100 ma turbine pour qu'elle marche mieux.

– Ah ! quand tu auras l'âge de raison, toi, je ferai une croix à la cheminée ! Ce n'est pas seize ans, c'est six ans, qu'il a !

Vinca et Philippe sourirent avec politesse, et bannirent encore une fois de leur présence les êtres vagues qui jouaient aux cartes
105 ou brodaient auprès d'eux. Ils entendirent encore, comme au-delà d'un bourdonnement d'eau, quelques plaisanteries sur la « vocation » de Philippe, promis à la mécanique et aux applications de l'électricité, sur le mariage de Vinca, thème familier. Des rires s'élevèrent autour de la grande table, parce que quelqu'un avait
110 parlé d'unir Philippe à Vinca…

---

1. Barboteuse : vêtement d'enfant fait d'une seule pièce et qui laisse les jambes et les bras nus.

2. Écrémeuse : machine servant à écrémer le lait en concentrant la matière grasse.

3. Paons-de-jour : espèce de papillons.

– Ah ! ah ! autant marier le frère et la sœur ! Ils se connaissent bien trop !

– L'amour, madame Ferret, ça veut de l'imprévu, du coup de foudre !

115 – *L'amour est enfant de Bohême*[1]…

– Marthe ! ne chantez pas ! Nous qui sommes si contents de tenir enfin le noroît[2] et le beau temps !

… Des fiançailles entre Vinca et lui ? Philippe sourit, plein de pitié condescendante. Des fiançailles… À quoi bon ? Vinca lui 120 appartenait, comme il appartenait à Vinca. Sagement, ils ont déjà escompté combien des fiançailles officielles à lointaine échéance troubleraient leur longue passion. Ils ont prévu les plaisanteries quotidiennes, les intolérables rires, et aussi la défiance…

… Ils refermèrent, ensemble, le judas[3] par lequel, retranchés 125 dans l'amour, ils communiquaient parfois avec la vie réelle. Ils envièrent, pareillement, la puérilité de leurs parents, leur facilité au rire, leur foi dans un avenir paisible.

« Comme ils sont gais ! » se dit Philippe. Il chercha, sur le front gris de son père, la trace d'une lumière, au moins d'une brûlure. 130 « Oh ! décréta-t-il superbement, le pauvre homme n'a jamais aimé… »

Vinca fit un effort pour évoquer un temps où sa mère, jeune fille, souffrit peut-être d'amour et de silence. Elle lui vit des cheveux précocement blancs, un pince-nez d'or, et cette maigreur qui 135 faisait de Mme Ferret une femme si distinguée…

Vinca rougit, réclama pour elle seule la honte d'aimer, le tourment du corps et de l'âme, et quitta les Ombres vaines, pour rejoindre Philippe sur un chemin où ils cachaient leur trace et où ils sentaient qu'ils pouvaient périr de porter un butin trop lourd, 140 trop riche et trop tôt conquis.

---

1. *L'amour est enfant de Bohême* : air très célèbre de l'opéra de Bizet, *Carmen* (1875).

2. *Noroît* : vent qui vient du nord-ouest.

3. *Judas* : petite ouverture permettant de voir sans être vu (métaphore).

8

Au tournant de la petite route, Phil sauta à terre, jeta sa bicyclette d'un côté et son propre corps de l'autre, sur l'herbe crayeuse[1] du talus.

– Oh! assez! assez! On crève! Pourquoi est-ce que je me suis
5 proposé pour porter cette dépêche[2], aussi?

De la villa à Saint-Malo, les onze kilomètres ne lui avaient pas semblé trop durs. La brise de mer le poussait, et les deux longues descentes plaquaient à sa poitrine demi-nue une fraîche écharpe d'air agité. Mais le retour le dégoûtait de l'été, de la bicyclette et
10 de l'obligeance. Août finissait dans les flammes. Philippe rua des deux pieds dans une herbe jaune et lécha sur ses lèvres la poussière fine des routes siliceuses. Il tomba sur le dos, les bras en croix. La congestion[3] passagère noircissait le dessous de ses yeux comme s'il sortait d'un combat de boxe, et ses deux jambes de
15 bronze, nues hors de la petite culotte sportive, comptaient, en cicatrices blanches, en blessures noires ou rouges, ses semaines de vacances et ses journées de pêche sur la côte rocheuse.

– J'aurais dû emmener Vinca, ricana-t-il. Quelle musique!

Mais un autre Philippe, en lui, le Philippe épris de Vinca, le
20 Philippe enfermé dans son précoce amour comme un prince orphelin dans un palais trop vaste, répliqua au méchant Philippe : «Tu l'aurais portée sur ton dos jusqu'à la villa, si elle s'était plainte… »

---

1. Crayeuse : qui a la couleur, l'aspect de la craie.

2. Dépêche : message.

3. Congestion : afflux de sang, provoqué ici par l'effort.

– Ce n'est pas sûr, protesta le méchant Philippe... Et le Philippe amoureux n'osa pas, cette fois, discuter...

25 Il gisait au pied d'un mur que des pins bleus, des trembles blancs couronnaient. Philippe connaissait la côte par cœur, depuis qu'il savait marcher sur deux pieds et rouler sur deux roues. « C'est *Ker-Anna*. J'entends la dynamo qui fait la lumière. Mais je ne sais pas qui a loué la propriété cet été. » Un moteur,
30 derrière le mur, imitait au loin le clappement de langue d'un chien haletant, et les feuilles des trembles argentés se rebroussaient au vent comme les petits flots d'un ru[1]. Apaisé, Phil ferma les yeux.

– Vous avez bien gagné un verre d'orangeade, il me semble, monsieur Phil, dit une voix tranquille.

35 Phil, en ouvrant les yeux, vit au-dessus de lui, inversé comme dans un miroir d'eau, un visage de femme, penché. Ce visage, à l'envers, montrait un menton un peu gras, une bouche rehaussée de rouge, le dessous d'un nez aux narines serrées, irritables, et deux yeux sombres qui, vus d'en bas, affectaient la forme de deux
40 croissants. Tout le visage, couleur d'ambre clair, souriait avec une familiarité point amicale. Philippe reconnut la Dame en blanc, enlisée avec son auto dans le chemin du goémon, la dame qui l'avait questionné en le nommant d'abord « eh ! petit ! », puis « Monsieur »... Il bondit sur ses pieds et salua de son mieux. Elle
45 s'appuyait sur ses bras croisés, nus hors de sa robe blanche, et le toisait de la tête aux pieds, comme la première fois.

– Monsieur, interrogea-t-elle gravement, est-ce par vœu, ou par inclination, que vous ne portez pas de vêtements, ou si peu ?

Le sang rafraîchi remonta d'un flot aux oreilles, aux joues de
50 Philippe, et redevint brûlant.

– Mais non, madame, cria-t-il d'un ton aigre, c'est parce que j'ai dû porter au télégraphe la dépêche au client de papa ; il n'y avait personne de prêt à la maison ; on ne pouvait pourtant pas envoyer Vinca ou Lisette par ce temps-là !

---

1. *Ru* : petit ruisseau.

55 – Ne me faites pas de scène, dit la Dame en blanc. Je suis extrêmement impressionnable. Pour un rien, je fonds en larmes.

Ses paroles, et son regard impassible où flottait un arrière-sourire, blessèrent Philippe. Il saisit sa bicyclette par le guidon,
comme on relève rudement par le bras un enfant qui vient de tom
60 ber, et voulut se mettre en selle.

– Prenez un verre d'orangeade, monsieur Phil. Je vous assure.

Il entendit grincer une grille à l'angle du mur, et sa tentative
de fuite le mena juste devant une porte ouverte, une allée d'hortensias roses apoplectiques [1], et la Dame en blanc.

65 – Je m'appelle Mme Dalleray [2], dit-elle.

– Philippe Audebert, dit Phil précipitamment.

Elle esquissa un geste d'indifférence et fit un « oh !... » qui
signifiait : « Cela ne m'intéresse pas. »

Elle marchait près de lui et subissait sans broncher le soleil sur
70 ses cheveux noirs, tirés et brillants. Il se mit à souffrir de la tête,
et se crut insolé [3] en retrouvant, auprès de Mme Dalleray, cet
espoir, cette appréhension d'un évanouissement qui l'eût délivré
de penser, de choisir et d'obéir.

– Totote ! l'orangeade ! cria Mme Dalleray.

75 Phil tressaillit, réveillé : « Le mur est là, se dit-il. Il n'est pas très
haut. Je saute, et... » Il se retint d'achever mentalement : « ... et je
suis sauvé ». Pendant qu'il gravissait, derrière la robe blanche, un
perron éblouissant, il appela à lui toute l'insolence de ses seize
ans : « Quoi ? elle ne me mangera pas !... Si elle tient absolument
80 à la placer, son orangeade !... »

---

1. Apoplectiques : au sens propre, terme médical qui désigne l'état des personnes victimes de crise d'apoplexie, c'est-à-dire d'un arrêt soudain des fonctions cérébrales ; la crise se manifeste souvent par un brusque afflux de sang
au niveau de la tête. Colette veut ici insister sur la couleur soutenue des hortensias.
2. Bertrand de Jouvenel occupa un appartement rue d'Alleray à Paris (voir présentation, p. 17).
3. Insolé : qui souffre de la lumière du soleil.

Il entra, et crut perdre pied en pénétrant dans une pièce noire, fermée aux rayons et aux mouches. La basse température qu'entretenaient persiennes et rideaux tirés lui coupa le souffle. Il heurta du pied un meuble mou, chut sur un coussin, entendit un
85 petit rire démoniaque, venu d'une direction incertaine, et faillit pleurer d'angoisse. Un verre glacé toucha sa main.

– Ne buvez pas tout de suite, dit la voix de Mme Dalleray. Totote, tu es folle d'avoir mis de la glace. La cave est assez froide.

90 Une main blanche plongea trois doigts dans le verre et les retira aussitôt. Le feu d'un diamant brilla, reflété dans le cube de glace que serraient les trois doigts. La gorge serrée, Philippe but, en fermant les yeux, deux petites gorgées, dont il ne perçut même pas le goût d'orange acide ; mais quand il releva les paupières, ses
95 yeux habitués discernèrent le rouge et le blanc d'une tenture, le noir et l'or assourdi des rideaux. Une femme, qu'il n'avait pas vue, disparut, emportant un plateau tintant. Un ara rouge et bleu, sur son perchoir, ouvrit son aile avec un bruit d'éventail, pour montrer son aisselle couleur de chair émue…

100 – Il est beau, dit Phil d'une voix enrouée.

– D'autant plus beau qu'il est muet, dit Mme Dalleray.

Elle s'était assise assez loin de Philippe, et la fumée verticale d'un parfum qui brûlait, répandant hors d'une coupe l'odeur de la résine et du géranium, montait entre eux. Philippe croisa l'une
105 sur l'autre ses jambes nues, et la Dame en blanc sourit, pour accroître la sensation de somptueux cauchemar, d'arrestation arbitraire, d'enlèvement équivoque qui ôtait à Philippe tout son sang-froid.

– Vos parents viennent tous les ans sur la côte, n'est-ce pas ?
110 dit enfin la douce voix virile de Mme Dalleray.

– Oui, soupira-t-il avec accablement.

– C'est, d'ailleurs, un charmant pays, que je ne connaissais pas du tout. Une Bretagne modérée, pas très caractéristique, mais reposante, et la couleur de la mer y est incomparable.

115   Philippe ne répondit pas. Il tendait le reste de sa lucidité vers son propre épuisement progressif, et s'attendait à entendre tomber sur le tapis, régulières, étouffées, les dernières gouttes d'un sang qui quittait son cœur.

    – Vous l'aimez, n'est-ce pas ?

120   – Qui ? dit-il en sursaut.

    – Cette côte cancalaise ?

    – Oui…

    – Monsieur Phil, vous n'êtes pas souffrant ? Non ? Bon. Je suis une très bonne garde-malade, d'ailleurs… Mais par ce temps-là,
125 vous avez mille fois raison : mieux vaut se taire que de parler. Taisons-nous donc.

    – Je n'ai pas dit ça…

    Elle n'avait pas fait un mouvement depuis leur entrée dans la pièce obscure, ni risqué une parole qui ne fût parfaitement banale.
130 Pourtant le son de sa voix, chaque fois, infligeait à Philippe une sorte inexprimable de traumatisme, et il reçut avec terreur la menace d'un mutuel silence. Sa sortie fut piteuse et désespérée. Il heurta son verre à un fantôme de petite table, proféra quelques mots qu'il n'entendit pas, se mit debout, gagna la porte en fen-
135 dant des vagues lourdes et des obstacles invisibles, et retrouva la lumière avec une aspiration d'asphyxié.

    – Ah ! dit-il à demi-voix.

    Et il pressa, d'une main pathétique, cette place du sein où nous croyons que bat notre cœur.

140   Puis il reprit brusquement conscience de la réalité, rit d'un air niais, secoua cavalièrement la main de Mme Dalleray, reprit sa bicyclette et partit. En haut de la dernière côte, il trouva Vinca, inquiète, qui l'attendait :

    – Mais qu'est-ce que tu as fait si longtemps, Phil ?

145   Il baisa, à travers les paupières que bleuissait la couleur des prunelles, les charmants yeux bleus de sa petite amie, et répondit avec exubérance :

– Ce que j'ai fait ? Mais tout, voyons ! J'ai été attaqué à un tournant, enfermé dans une cave, abreuvé de narcotiques [1] puissants, lié tout nu à un poteau, fustigé, mis à la question [2]...

Vinca riait, appuyée à son épaule, tandis que Philippe secouait la tête pour détacher de ses cils deux larmes d'énervement, et qu'il pensait :

« Si elle savait que c'est la vérité, ce que je lui raconte... »

---

1. *Narcotiques* : somnifères.
2. *Mis à la question* : torturé.

9

Depuis que Mme Dalleray lui avait offert un verre d'orangeade, Phil sentait sur ses lèvres et contre ses amygdales le choc,
la brûlure de la boisson glacée. Il s'imaginait aussi qu'il n'avait
bu de sa vie, ni ne boirait désormais une orangeade aussi amère.

5 « Et pourtant, au moment où je l'ai bue, je n'en ai pas senti le
goût... C'est après... longtemps après... » Cette visite, qu'il
cachait à Vinca, formait dans sa mémoire un point battant et sen-
sible, dont il précipitait ou calmait à son gré la fièvre bénigne[1].

La vie de Philippe appartenait toujours à Vinca, à la petite
10 amie de son cœur, née tout près de lui, douze mois après lui, attachée à lui comme une jumelle à son frère jumeau, anxieuse
comme une amante qui doit demain perdre son amant. Mais le
rêve, ni le cauchemar ne dépendent de la vie réelle. Un mauvais
rêve, riche d'ombre glaciale, de rouge sourd, de velours noir et or,
15 empiétait sur la vie de Phil, diminuait, en segment d'éclipse, les
heures normales du jour, depuis que dans le salon de *Ker-Anna*,
par un après-midi torride, il avait bu le verre d'orangeade versé
par l'impérieuse et grave Dame en blanc. Le feu du diamant au
bord du verre... le dé de glace, étincelant entre trois doigts
20 pâles... L'ara bleu et rouge, muet sur son perchoir, et son aile dou-
blée d'un plumage blanc, rosé comme la chair des pêches...
L'adolescent doutait de sa mémoire en ressassant ces images d'un
coloris brûlant et faux, décor créé peut-être par le sommeil, qui

---

1. *Bénigne* : sans conséquence grave (masculin, « bénin »).

force jusqu'au bleu le vert des feuillages et donne à certaines
25 nuances l'accent d'un sentiment...

Il n'avait rapporté, de sa visite, aucun plaisir. Le souvenir
même du parfum qui fumait dans une coupe paralysait, un temps,
son appétit, lui infligeait des aberrations nerveuses :

– Tu ne trouves pas, Vinca, que les crevettes sentent le ben-
30 join [1], aujourd'hui ?

Plaisir, l'entrée dans le salon fermé, le tâtonnement contre des
obstacles mous et veloutés ? Plaisir, l'évasion maladroite, le soleil
en chape soudaine sur les épaules ? Non, non, rien de tout cela
ne ressemblait au plaisir, mais plutôt au malaise, au tourment
35 d'une dette...

« Je lui dois une politesse, se dit Philippe un matin. Rien ne
m'oblige à passer pour un mufle. Il faut que je dépose des fleurs
à sa porte, et après je n'y penserai plus. Mais quelles fleurs ? »

Les reines-marguerites du potager et les mufliers [2] de velours
40 lui parurent méprisables. Août finissant défleurissait les chèvre-
feuilles sauvages et les Dorothy-Perkins [3] enroulées au tronc des
trembles. Mais un creux de dune entre la villa et la mer, empli jusqu'aux bords de chardons des sables, bleus dans leur fleur,
mauves au long de leur tige cassante, méritait de s'appeler « le
45 miroir des yeux de Vinca ».

« Des chardons bleus... j'en ai vu dans un vase de cuivre, chez
Mme Dalleray... Offre-t-on des chardons bleus ? Je les accroche-
rai à la grille... Je n'entrerai pas... »

Il attendit, avec la sagacité de ses seize ans, le jour où Vinca,
50 fatiguée, un peu malade, languissante et hérissée, une marge
mauve sous ses yeux bleus, s'étendit à l'ombre, refusa le bain et

---

1. *Benjoin* : produit d'origine végétale et parfumé, utilisé en parfumerie et en
cosmétique.
2. *Mufliers* : plantes herbacées aux fleurs élégantes, solitaires ou en grappes,
de coloris divers.
3. *Dorothy-Perkins* : rosiers grimpants.

la promenade. Il coupa et bottela secrètement les plus beaux chardons, en se blessant furieusement les mains à leur feuillage de fer. Il partit sur sa bicyclette, par un doux temps breton qui voilait de
55 brume la terre et mêlait à la mer un lait immatériel. Il roula, gêné par un pantalon de toile blanche et son plus beau veston de gros jersey, jusqu'aux murs de *Ker-Anna*, marcha courbé vers la grille et voulut jeter dans le jardin sa botte de chardons, comme il se fût délivré d'une pièce à conviction. Il médita son geste, repéra l'en
60 droit où le mur d'enceinte touchait presque la villa, fit tourner son bras en fronde et le bouquet vola dans l'air. Philippe entendit un cri, des pas sur le gravier, et une voix étouffée de colère, qu'il reconnut cependant :

– Si je tenais l'idiot qui a fait ça…

65 Se sentant insulté, il renonça à la fuite, et la Dame en blanc, irritée, le trouva près de la grille. Elle changea de figure en le voyant, dénoua ses sourcils joints, haussa les épaules :

– J'aurais dû m'en douter, dit-elle. Ce n'est pas très malin.

Elle attendit une excuse qui ne vint pas, car Phil, occupé à la
70 regarder, la remerciait vaguement en lui-même d'être encore une fois vêtue de blanc, et le visage rehaussé discrètement de rouge aux lèvres, de bistre[1] en halo autour des yeux. Elle porta une main à sa joue :

– Tenez, je saigne !

75 – Moi aussi, dit Philippe roidement.

Et il tendit ses mains blessées. Elle se pencha, écrasa sous son doigt une petite perle de sang sur la paume de Phil.

– Vous les avez cueillis pour moi ? demanda-t-elle avec nonchalance.

80 Il ne répondit que d'un signe, se gourmandant de manifester, à une femme aimable et bien élevée, des façons de rustre[2]. Mais elle n'en paraissait pas fâchée, ni surprise.

---

1. *Bistre* : couleur d'un brun noirâtre.
2. *Rustre* : qui témoigne d'un manque de finesse, de savoir-vivre.

– Vous voulez entrer un moment ?

Il répondit de la même manière, et sa muette protestation fit
85 voler ses cheveux autour de son visage, embelli d'une sévérité
étrange et privé de toute autre expression.

– Ils sont d'un bleu… un bleu indicible… Je les planterai dans
mon brasero [1] de cuivre…

Le visage de Phil se détendit un peu :
90 – Je le pensais, dit-il. Ou bien dans un pot de grès gris.

– Oui, si vous le voulez… Dans un pot de grès gris.

Une sorte de docilité, dans la voix de Mme Dalleray, émerveilla Philippe. Elle s'en aperçut, le regarda dans les yeux, reprit
son sourire aisé et presque masculin, et changea de ton :
95 – Dites-moi, monsieur Phil… Une question… Une simple
question… Ces beaux chardons bleus, vous les avez cueillis pour
moi, pour me faire plaisir ?

– Oui…

– C'est charmant. Pour me faire plaisir. Mais avez-vous pensé
100 plus vivement à mon plaisir de les recevoir – comprenez-moi
bien ! – qu'à *votre* plaisir de les cueillir pour moi et de me les
offrir ?

Il l'écoutait mal, et la regardait parler comme un sourd-muet,
l'esprit attaché à la forme de sa bouche et au battement de ses
105 cils. Il ne comprit pas, et répondit au hasard :

– J'ai pensé que ça vous serait agréable… Et puis vous m'aviez
offert de l'orangeade…

Elle retira sa main, qu'elle avait posée sur le bras de Phil, et
rouvrit tout grand le battant à demi fermé de la grille.
110 – Bien. Mon petit, il faut vous en aller, et ne plus revenir ici.

– Comment ?…

– Personne ne vous a demandé de m'être agréable. Quit-
tez donc l'obligeant souci qui vous amène, aujourd'hui, à me

---

1. *Brasero* : ici bassine, récipient ; le brasero, lorsqu'il est rempli de charbons
ardents, sert au chauffage.

bombarder de chardons bleus. Adieu, monsieur Phil. À moins
115 que…

Elle appuyait son front hardi à la grille promptement refermée
entre eux et toisait Philippe, immobile sur la petite route.

– À moins qu'un jour je ne vous retrouve à cette place, revenu
non pour payer, d'un bouquet épineux, mon orangeade, mais
120 pour une autre raison…

– Une autre raison…

– Comme votre voix ressemble à la mienne, monsieur Phil !
Cette fois-là nous verrons si mon agrément est en jeu, ou le vôtre.
Je n'aime que les mendiants et les affamés, monsieur Phil. Si vous
125 revenez, revenez la main tendue… Allez, allez, monsieur Phil !…

Elle quitta la grille, et Philippe s'en alla. Chassé, et même
banni, il n'emportait pourtant qu'une fierté d'homme, et dans son
souvenir l'arabesque[1] noire de la grille couronnait, comme une
branche de viorne, un visage féminin, tatoué sur la joue d'un
130 signe de sang frais.

---

1. *Arabesque* : ligne sinueuse, formée de courbes.

10

– Tu vas tomber, Vinca, ton espadrille est défaite. Attends... »

Phil se baissa vivement, saisit les deux rubans de laine blanche et les croisa sur une cheville brune, frémissante, sèche, jambe de bête fine, faite pour la course et le saut. Un épiderme durci, des cicatrices nombreuses n'en masquaient pas la grâce. Presque pas de chair sur l'ossature légère, juste assez de muscle pour assurer le galbe[1] ; la jambe de Vinca n'éveillait pas le désir, mais l'espèce d'exaltation[2] que l'on voue à un style pur.

– Attends, je te dis ! Je ne peux pas rattacher tes cordons, si tu marches !

– Non, laisse !

Le pied nu, chaussé de toile, glissa entre les mains qui le tenaient et franchit, comme s'il s'envolait, la tête de Phil agenouillé. Il perçut l'odeur d'esprit de lavande, de linge repassé et d'algue marine qui composait le parfum de Vinca, et la vit à trois pas de lui. Elle le regardait de haut en bas et lui versait la lumière assombrie et troublée de ses yeux, dont le bleu refusait d'imiter les nuances changeantes de la mer.

– Qu'est-ce qui te prend ? En voilà des caprices ! Je sais rattacher une sandale, peut-être ! Je t'assure, Vinca, tu deviens impossible !

---

1. *Galbe* : contour harmonieux, profil plus ou moins courbe.
2. *Exaltation* : élévation à un très haut degré d'un sentiment.

La posture chevaleresque de Phil seyait mal à son visage offensé de dieu latin, doré, couronné de cheveux noirs, à peine menacé dans sa grâce par l'ombre – poil dru demain, duvet de
25 velours aujourd'hui – de la moustache future.

Vinca ne se rapprochait pas de lui. Elle semblait étonnée, et essoufflée comme si Phil l'eût poursuivie.

– Qu'est-ce que tu as ? Je t'ai fait mal ? Tu as une épine ?

Elle répondit « non » d'un signe, s'adoucit, tomba assise parmi
30 la sauge [1] et les renouées [2] roses, tira l'ourlet de sa robe jusqu'à ses chevilles. Une célérité [3] anguleuse et plaisante, un équilibre, exceptionnel comme un don chorégraphique, gouvernaient tous ses mouvements. Sa tendre et exclusive camaraderie avec Phil l'avait formée aux jeux garçonniers, à une rivalité sportive qui ne
35 cédait pas encore devant l'amour, né cependant en même temps qu'elle. Malgré la force, chaque jour monstrueusement accrue, qui chassait hors d'eux peu à peu la confiance, la douceur, malgré l'amour qui changeait l'essence de leur tendresse comme l'eau colorée qu'elles boivent change la couleur des roses, ils oubliaient
40 quelquefois leur amour.

Philippe ne soutint pas longtemps le regard de Vinca, dont l'azur assombri ne contenait aucun reproche. Elle paraissait seulement surprise, et respirait vite, comme la biche qu'un promeneur rencontre en forêt et qui balance, émue, au lieu de gagner le
45 large. Elle interrogeait son propre instinct, plutôt que le jeune garçon agenouillé dont elle avait fui la main ; elle savait qu'elle venait d'obéir à la défiance, à une espèce de répulsion, non à la pudeur. Il n'était pas question de pudeur aux côtés d'un si grand amour.

Mais la pureté vigilante de Vinca percevait, par des avertisse-
50 ments soudains, une présence féminine auprès de Philippe. Il arrivait qu'elle flairât l'air, autour de lui, comme s'il eût, en secret,

---

1. *Sauge* : plante utilisée en cuisine et en pharmacie.
2. *Renouées* : plantes herbacées dont une des espèces est le sarrasin.
3. *Célérité* : rapidité, vitesse d'exécution.

fumé, ou mangé une friandise. Elle interrompait leurs causeries par un silence aussi impérieux qu'un bond, par un regard dont il sentait le choc et le poids. Elle délivrait sa main de la main amie, plus petite mais moins fine que la sienne, où sa main reposait pendant la promenade sur la route avant le dîner...

Sa troisième, sa quatrième visite à Mme Dalleray, Phil les avait sans peine cachées à Vinca. Mais que valaient la distance et les murailles contre l'antenne invisible qui d'une âme éprise s'élance, palpe, découvre la flétrissure et se replie ?... Greffé sur leur grand secret, le petit secret parasite tarait[1] Philippe, innocent en fait, d'une difformité morale. Vinca maintenant le trouvait doux lorsqu'il eût dû, confiant dans son despotisme d'amant fraternel, la traiter en esclave. Un peu de l'aménité[2] des maris infidèles se glissait en lui et le rendait suspect.

Ayant morigéné[3] l'étrange humeur de Vinca, Philippe garda cette fois son air rogue[4] et reprit le chemin de la villa, en se retenant de courir. Goûterait-il dans une heure à *Ker-Anna*, comme Mme Dalleray l'en avait prié ? Prié... celle-là ne savait qu'ordonner, et conduire avec une dureté dissimulée celui qu'elle élevait au rang de mendiant et d'affamé. Mendiant rebelle à l'humilité et qui pouvait, loin d'elle, songer sans gratitude à la verseuse de boisson fraîche, à la peleuse de fruits dont les mains blanches servaient et soignaient le petit passant novice et bien tourné. Mais faut-il nommer novice l'adolescent que l'amour a, dès l'enfance, sacré homme et gardé pur ? Où elle eût trouvé une victime facile, enchantée de se soumettre, Mme Dalleray rencontrait un antagoniste ébloui et circonspect[5]. La bouche altérée et les mains tendues, le mendiant ne prenait pas figure de vaincu.

---

1. *Tarait* : pesait sur. Au sens propre, « tarer » signifie peser un emballage pour le déduire du poids total d'un paquet.
2. *Aménité* : amabilité pleine de charme.
3. *Ayant morigéné* : ayant grondé.
4. *Rogue* : arrogant, avec une nuance de rudesse.
5. *Circonspect* : prudent, réservé.

80 « Il se défendra », conjecturait-elle[1]. « Il se garde… » Elle n'en était pas encore au point de dire : « *Elle* le garde. »

Philippe put crier de la maison, à Vinca restée sur le pré sableux :

– Je vais chercher le second courrier ! Tu n'as pas de commis-
85 sions ?

Un signe de refus tendit autour de la tête de Vinca ses cheveux égaux en roue ensoleillée et Philippe se jeta sur sa bicyclette.

Mme Dalleray ne semblait pas l'attendre et lisait. Mais l'ombre étudiée du salon, la table presque invisible d'où mon-
90 taient les odeurs de la pêche tardive, du melon rouge de Chypre coupé en croissants d'astre et du café noir versé sur la glace pilée le renseignèrent.

Mme Dalleray laissa son livre et lui tendit une main sans se lever. Il voyait dans l'ombre la robe blanche, la main blanche : les
95 yeux noirs, isolés dans leur halo de bistre, bougeaient avec une lenteur inaccoutumée.

– Peut-être que vous dormiez, dit Phil, en se forçant à une obligeance mondaine.

– Non… Certainement non. Il fait chaud ? Vous avez faim ?
100 – Je ne sais pas…

Il soupira, sincèrement indécis, pris, dès l'entrée à *Ker-Anna*, d'une sorte de soif, et d'une sensibilité aux odeurs comestibles qui eût ressemblé à l'appétit si une anxiété sans nom n'eût en même temps serré sa gorge. Son hôtesse le servit pourtant, et il huma[2],
105 sur une petite pelle d'argent, la chair rouge du melon poudré de sucre, imprégnée d'un alcool léger, à goût d'anis.

– Vos parents vont bien, monsieur Phil ?

Il la regarda, surpris. Elle paraissait distraite et ne semblait pas avoir entendu sa propre voix. Du bord de sa manche, il accrocha
110 une cuiller, qui tomba avec un son de clochette faible sur le tapis.

---

1. *Conjecturait-elle* : supposait-elle.
2. *Huma* : aspira par le nez pour sentir.

– Maladroit... Attendez...

D'une main elle lui saisit le poignet, de l'autre main elle releva, jusqu'au coude, la manche de Phil et garda fermement, dans sa main chaude, le bras nu.

115 – Laissez-moi ! cria Phil très haut.

Il fit un violent mouvement du bras. Une soucoupe se brisa à ses pieds. Dans le bourdonnement de ses oreilles tintait l'écho du cri de Vinca : « Laisse !... » et il tourna vers Mme Dalleray un regard plein de courroux et de questions. Elle n'avait pas bougé 120 et la main qu'il avait rejetée gisait ouverte sur ses genoux comme une conque[1] creuse. Philippe mesura longuement cette immobilité significative. Il baissa la tête, vit passer devant lui deux ou trois images incohérentes, inéluctables, de vol comme l'on vole en songe, de chute comme l'on choit en plongeant, à l'instant où les 125 plis de l'onde vont joindre le visage renversé – puis, sans élan, avec une lenteur réfléchie, avec un courage calculé, il remit son bras nu dans la main ouverte.

---

1. *Conque* : grand coquillage.

11

Quand Philippe sortit de chez la Dame en blanc, il pouvait être une heure et demie du matin.

Il avait dû attendre, pour quitter la villa familiale, que tous les bruits et les lumières y fussent éteints. Une porte vitrée, fermée au
5 loquet, une barrière de bois que son propre poids rabattait – au-delà, la route, la liberté... La liberté ? Il avait marché vers *Ker-Anna* chargé d'entraves, parfois s'arrêtant pour aspirer l'air, la main gauche posée sur le cœur, la tête basse puis levée comme un chien qui aboie à la lune. En haut de la côte, il s'était retourné,
10 pour apercevoir à mi-falaise la maison où dormaient ses parents, les parents de Vinca, – et Vinca... La troisième fenêtre, le petit balcon de bois... Elle devait dormir derrière cette paire de volets clos. Elle devait dormir, tournée un peu de côté, la figure sur son bras, comme une enfant qui se cache pour pleurer, ses cheveux égaux
15 ouverts en éventail de la nuque à la joue. Il l'avait vue si souvent dormir, depuis leur enfance. Il connaissait cette attitude chagrine et douce, qu'elle ne prenait que dans le sommeil.

La crainte de l'éveiller télépathiquement détournait bientôt Philippe vers la route, blanche dans la nuit laiteuse du premier
20 quartier de la lune, et qui guidait ses pas. L'anxiété, l'amour, à peine alanguis au fond d'un sommeil d'adolescente, il les avait sentis, vigilants, se suspendre à lui. Leur poids, bien plus que la peur froide qui glace un garçon de seize ans sur le chemin de sa première aventure, leur poids allait peut-être changer en corvée
25 l'épreuve, et l'orgueilleux délire en curiosité sans courage ?...

Mais il n'avait balancé qu'un moment avant de précipiter sa course, avec le même geste de suffocation et d'appel à la lune, sur l'autre versant de la côte qu'il venait, au retour, de gravir plus lentement.

30 « Deux heures », compta Philippe, l'oreille tendue vers l'horloge du village. Les quatre quarts cristallins, les deux heures graves voyagèrent mollement dans la brume saline et tiède. Il ajouta, rituellement : « Le vent a tourné, on entend l'horloge de l'église, c'est changement de temps… » et le son de la phrase fami-
35 lière lui parvint de très loin, d'une vie révolue… Il s'assit sur le rebord gazonné d'une plate-bande, devant la villa, pleura brusquement, et se fit honte de ses larmes, jusqu'au moment où il prit conscience qu'il pleurait avec plaisir.

Quelqu'un, à côté de lui, exhala un grand soupir ; le chien du
40 gardien, indistinct à ses pieds, somnolait sur l'allée sablée. Phil se pencha, caressa le poil de sanglier, le nez sec de la bête amie qui n'avait pas aboyé.

– Fanfare… mon vieux Fanfare…

Mais le chien, âgé et d'un caractère breton, se leva et s'alla
45 recoucher hors de portée, avec un bruit de vieux sac.

La marée de morte-eau [1], endormie sous la brume au bas du pré, envoyait à la plage une petite vague exténuée, qui claquait faiblement comme un linge mouillé, de minute en minute. Aucun oiseau ne veillait, hors une chevêche [2] qui imitait narquoisement
50 le chat, tantôt à la cime d'un tremble plus blanc que la brume, tantôt sur la haie de fusains [3].

Lentement, la pensée de Philippe réintégra le décor familier et méconnaissable. Cette paix nocturne, qui déposède l'homme, lui offrait le refuge, la transition nécessaire entre sa vie ancienne, son
55 doux pays de tous les étés, – et le lieu, le climat où tournoyait un

---

1. Marée de morte-eau : marée de faible amplitude.
2. Chevêche : chouette de petite taille.
3. Fusains : petits arbres utilisés pour former des haies.

indiscernable orage de couleurs, de parfums, de lumières dont la source dissimulée épandait un dard aigu ou une nappe pâle et restreinte, – de meubles et de fleurs qui semblaient perdre leur équilibre et montrer, ceux-là leurs maigres jambes de biches, celles-ci
60 le dessous pelucheux de leurs feuilles, leurs tiges rigides dans une eau pure ; – le lieu, le climat traîtres où une main, une bouche de femme déchaînaient à leur gré l'anéantissement d'un univers tranquille, le cataclysme qu'avait béni – comme le pont lumineux qui se lève dans le ciel après la foudre – l'arc d'un bras nu...

65 Du moins, cette tourmente qu'il venait de traverser, il la laissait derrière lui. Il n'en rapportait avec lui qu'une fatigue de nageur, une mansuétude vague et universelle de naufragé touchant terre. Plus favorisé que tels jeunes hommes qui viennent, souvent en se déchirant eux-mêmes, d'échanger une longue
70 angoisse, féconde en rêveries illimitées, contre un plaisir qui désormais bornera leurs rêves, – il revenait, lourd seulement de stupeur normale, conscient à la manière du buveur gorgé qui sent osciller, quand il bouge, la masse refroidie du vin d'où s'évada l'esprit brûlant et léger.

75 Le jour était loin encore, mais déjà une moitié de la nuit, plus claire que l'autre, divisait le ciel. Un très petit animal, hérisson ou rat, gratta la terre en trottant. Le premier souffle avant-coureur de l'aurore roula sur l'allée quelques pétales, les délaissa, s'évanouit, et tout redevint immobile. Trois heures s'égrenèrent rêveusement
80 à l'horloge lointaine, la première limpide et proche, les deux autres étouffées d'une bouffée de vent. Un couple de courlis passa au-dessus de Philippe, assez bas pour qu'il entendît le cri de voilure de leurs ailes tendues, et leur piaulement sur la mer plongea, dans la mémoire ouverte et sans défense de l'adolescent, jusqu'au
85 fond de quinze années pures, suspendues à un rivage blond, à une enfant qui à ses côtés grandissait, portant sa tête blonde et droite comme un épi.

Il se leva, avec un effort physique pour se reconnaître, pour obliger celui qui venait de se reposer là, – près de la barrière

90 blanche, près du chien couché, – à être le même que celui qui, la
veille, se tournait avec crainte vers *Ker-Anna* en s'appuyant à la
barrière blanche, en caressant distraitement le chien couché. Mais
il ne le put.

Il passa sur son visage ses deux mains chaudes, qui lui sem-
95 blèrent plus douces que de coutume, imprégnées d'un parfum qui
s'envolait quand il le voulait fixer sous ses narines, mais qui
vibrait alentour, comme fait l'arôme de certaines plantes odoriférantes[1] à feuilles fragiles. À cet instant, la lueur d'une lampe, entre
les lames des persiennes, brilla, et s'éteignit peu après, dans la
100 chambre de Vinca.

« Elle ne dort pas. Elle vient de regarder l'heure. Pourquoi ne
dort-elle pas ? »

À travers les murs, il sut comment, d'un bras étendu, Vinca
avait allumé la lampe, regardé la petite montre suspendue au lit
105 de cuivre, puis rejeté sur l'oreiller, en éteignant la lampe, sa tête
et sa chevelure qui sentait l'enfant soigné et la lavande. Il sut qu'à
cause de la nuit lourde une épaule brunie, jarretée[2] de blanc à la
place où l'épaulette du maillot de bain la gardait du soleil, demeurait nue, et la forme du long corps vigoureux de son amie, – corps
110 familier, pourvu chaque année de beautés nouvelles et prévues, –
lui apparut pour le frapper de stupeur.

Qu'y avait-il de commun entre ce corps, entre l'emploi que
l'amour en pouvait faire, entre ses fins inévitables, – et la destinée
d'un autre corps de femme, voué à des rapts délicats, doué d'un
115 génie spoliateur[3], d'une implacabilité passionnée, d'une enchan-
teresse et hypocrite pédagogie ?

– Jamais ! dit-il à voix haute.

Hier encore il mesurait, d'un cœur patient, le temps au bout
duquel Vinca lui appartiendrait. Aujourd'hui, pâli d'un ensei-

---

1. *Odoriférantes* : qui dégagent une forte odeur.
2. *Jarretée* : l'adjectif signifie ici que Vinca a sur les épaules la marque de son
maillot de bain.
3. *Spoliateur* : qui dérobe quelque chose.

120 gnement qui laissait à son corps le tremblement et la suavité de
la défaite, Philippe reculait de tout son être devant une image
insensée...

– Jamais !

L'aube venait, rapide. Mais aucun vent ne chassait la brume
125 saline où le rouge de l'aurore levante gagnait par nappes. Philippe
franchit le seuil de la villa, monta sans bruit vers sa chambre
qu'une nuit étouffante emplissait encore, et il ouvrit les volets,
avec la hâte d'affronter, dans un miroir, sa nouvelle figure
d'homme...

130 Il vit, dans un visage que la lassitude amincissait, des yeux lan-
guissants, agrandis par leur cerne, des lèvres qui, d'avoir touché
une bouche rougie, demeuraient un peu fardées, des cheveux
noirs en désordre sur le front, – des traits plaintifs, et moins
pareils à ceux d'un homme qu'à ceux d'une jeune fille meurtrie.

12

Les cris des chardonnerets[1], au moment où Philippe s'endormit, réclamaient déjà les graines que Vinca leur jetait à poignées, le matin. Le palpitant sommeil de Philippe souffrit de leurs cris légers, et son demi-songe les muait en petits copeaux de métal
5 roulé, arrachés au casque douloureux qui coiffait son crâne. Le trop beau jour retentissait de poules pondeuses, d'abeilles, de batteuse à blé quand il s'éveilla tout à fait ; la mer verdissait, rebroussée par le vent frais du nord-ouest, et Vinca riait, vêtue de blanc, sous la fenêtre.

10 – Qu'est-ce qu'il a ? mais qu'est-ce qu'il a ? Eh, Phil ! C'est la maladie du sommeil ?

Et les Ombres familières, devenues presque invisibles comme la tache ancienne du mur, comme le lierre ou le lichen[2], les Ombres dédaignées par les deux adolescents, répétaient autour d'elle :

15 – Qu'est-ce qu'il a ? mais qu'est-ce qu'il a ? il a mangé du pavot[3] !

Il les regardait, du haut de sa fenêtre. Il avait la bouche entrouverte, une sorte d'horreur ingénue sur ses traits, et une telle pâleur que le rire de Vinca s'éteignit, éteignant les autres rires :

20 – Oh !... mais tu es malade ?

---

1. *Chardonnerets* : oiseaux qui tirent leur nom des graines de chardon dont ils se nourrissent.
2. *Lichen* : végétal que l'on trouve souvent à la surface des roches et des arbres.
3. *Pavot* : plante voisine du coquelicot et dont les graines (dans le cas du pavot somnifère) fournissent l'opium.

Il se jeta en arrière comme si Vinca lui eût lancé un caillou.

– Malade ? tu vas voir si je suis malade ! D'abord, quelle heure est-il ?

Les rires reprirent en bas :

25 – Onze heures moins le quart, grande marmotte ! Viens te baigner !

Il acquiesça de la tête, referma la fenêtre, et les vitres tendues de tulle [1] le refoulèrent vers l'abîme nocturne où le remous d'un souvenir s'étirait, noir, onctueux, prélassé entre des saillies lumi-
30 neuses qui se hissaient au jour et y prenaient la couleur de l'or, de la chair, l'éclat d'un œil mouillé, d'une bague ou d'un ongle…

Il jeta son pyjama de nuit, entra impétueusement [2] dans son maillot de bain, et au lieu de descendre demi-nu, comme tous les jours, il noua soigneusement la corde de son peignoir.

35 Vinca l'attendait sur le pré de mer et cuisait paisiblement au soleil ses hautes jambes, ses bras déliés d'un brun roux de pain campagnard. Le bleu incomparable de ses yeux, sous le foulard bleu déteint, emplit Philippe d'une soif d'eau fraîche, d'un désir de lame salée et de brise. En même temps, il contemplait la force
40 évidente d'un corps chaque jour féminisé, les durs genoux cise-lés [3] finement, les longs muscles des cuisses et les reins fiers.

« Comme elle est solide ! » pensa-t-il, avec une sorte de crainte.

Ils plongèrent ensemble, et tandis que Vinca battait joyeusement des jambes et des bras le flot faible, et crachait l'eau en chan-
45 tant, Philippe, pâle, luttait contre son frisson et nageait les dents serrées. Les pieds nus de Vinca ayant serré l'un de ses pieds, Phil cessa soudain de nager, coula à pic et reparut quelques secondes après. Mais il n'usa point de représailles et méprisa les us [4] quo-tidiens, cris, joutes et combats de phoques, qui faisaient de leur
50 bain la meilleure heure de la journée.

---

1. Tulle : tissu léger et transparent, dont sont ici faits les rideaux.
2. Impétueusement : de manière vive et emportée.
3. Ciselés : dessinés.
4. Us : usages, habitudes.

Le sable chaud les reçut, et ils s'étrillèrent[1] en conscience. Vinca, armée d'un galet, visa un petit récif cornu, l'atteignit à cinquante mètres, et Philippe s'émerveilla avec défiance, oubliant qu'il avait formé lui-même sa petite amie à ces jeux garçonniers. Il se sentait
55 doux, supérieur à lui-même, voisin de la défaillance, et nulle arrogance masculine ne révélait qu'il avait fui la maison de son enfance, la nuit d'avant, pour courir à sa première aventure d'amour.

– Midi ! Phil ! Midi qui sonne à l'église, tu entends ?

Debout, Vinca secouait les pointes humides et égales de ses
60 cheveux. Ses premiers pas vers la villa écrasèrent un petit crabe qui craqua comme une noix, et Philippe eut une crispation pénible.

– Quoi ? dit Vinca.

– Tu as écrasé ce petit crabe...

Elle se retourna, montra au grand soleil ses joues comme la
65 pêche brune, ses yeux d'un bleu définitif, ses dents blanches et le rouge intérieur de sa bouche :

– Après ? c'est le premier ? Et quand tu appâtes le havenet avec un crabe découpé ?

Elle courut devant Philippe et franchit d'un saut un creux de
70 dune. Pendant un fragment de seconde, il la vit suspendue, détachée de la terre, les pieds joints, penchée et les bras arrondis comme si elle cueillait une brassée d'air.

« Je croyais qu'elle était douce », songea Philippe.

Le déjeuner l'empêcha de rejoindre son souvenir nocturne,
75 assoupi à cette heure du milieu du jour, et mouvant à peine au fond de son gîte noir. Il subit des compliments sur sa pâleur poétique, des critiques sur son silence et son manque d'appétit. Vinca dévorait, et rayonnait d'une blessante allégresse. Phil l'observait sans bienveillance, notait la vigueur des mains concassant le
80 homard, l'altier[2] mouvement du cou rejetant les cheveux.

---

1. S'étrillèrent : se séchèrent vigoureusement.
2. Altier : hautain.

« Je devrais me réjouir, pensait-il. Elle ne se doute de rien. »
Mais en même temps il souffrait de cette sérénité inexorable [1], et
exigeait au fond de lui-même que Vinca fût tremblante comme
une graminée [2], consternée d'une trahison qu'elle eût dû sentir
85 errer comme un de ces orages hésitants qui tournent, l'été, autour
de la baie bretonne.

« Elle dit qu'elle m'aime. Elle m'aime. Elle était pourtant plus
inquiète, *avant...* »

Après le déjeuner, Vinca dansa, avec Lisette, au son du pho-
90 nographe. Elle exigea que Philippe dansât aussi. Elle consulta le
calendrier des marées, prépara les filets pour la marée basse de
quatre heures, environna Philippe et la villa de cris de lycéen,
d'appels à la ficelle goudronnée, au vieux couteau de poche,
répandit sur ses pas l'odeur de son chandail de pêche, troué, qui
95 sentait l'iode [3] et l'algue. Philippe, las, envahi enfin du sommeil
qui suit les catastrophes et les très grands bonheurs, la suivait
d'un regard vindicatif [4] et serrait nerveusement les poings.

« Ce qu'avec trois mots je la ferais taire !... » Mais il savait qu'il
ne dirait pas les trois mots, et il languissait de l'envie de dormir
100 dans un creux de sable chaud, la tête sur les genoux de Vinca...

Ils trouvèrent le long de la côte des crevettes, des trigles [5] qui
gonflaient d'air, pour épouvanter l'agresseur, leurs éventails de
nageoires et leur gorge arc-en-ciel. Mais Phil suivait mollement les
petits gibiers du roc et de la vague. Il endurait mal le soleil reflété
105 dans les flaques et glissait comme un novice sur les chevelures

---

1. *Inexorable* : inévitable.

2. *Graminée* : plante herbacée dont les fruits sont réduits à des graines
comme le roseau, le bambou ou les céréales.

3. *Iode* : élément chimique naturel très présent dans un environnement
marin.

4. *Vindicatif* : porté à la vengeance, rancunier.

5. *Trigles* (ou *rougets grondins*) : poissons comestibles, au corps épineux,
généralement rose ou rouge.

gluantes des zostères [1]. Ils capturèrent un homard et Vinca fourgonna [2] terriblement le «quai» où habitait un congre [3].

– Tu vois bien qu'il y est! cria-t-elle en montrant le bout du crochet de fer, teint de sang rose.

110 Phil pâlit et ferma les yeux.

– Laisse cette bête, dit-il d'une voix étouffée.

– Penses-tu! Je te garantis que je l'aurai... Mais qu'est-ce que tu as?

– Rien.

115 Il cachait, de son mieux, une douleur qu'il ne comprenait pas. Qu'avait-il donc conquis, la nuit dernière, dans l'ombre parfumée, entre des bras jaloux de le faire homme et victorieux? Le droit de souffrir? Le droit de défaillir de faiblesse devant une enfant innocente et dure? Le droit de trembler inexplicablement, devant la vie 120 délicate des bêtes et le sang échappé à ses sources?...

Il aspira l'air en suffoquant, porta les mains à son visage et éclata en sanglots. Il pleurait avec une violence telle qu'il dut s'asseoir, et Vinca se tint debout, armée de son crochet mouillé de sang, comme une tortionnaire. Elle se pencha, n'interrogea pas, 125 mais écouta en musicienne l'accent, la modulation nouvelle et intelligible des sanglots. Elle étendit une main vers le front de Philippe, et la retira avant le contact. La stupeur quitta son visage, où montèrent l'expression de la sévérité, une grimace amère et triste qui n'avait point d'âge, un mépris, tout viril, pour la fai 130 blesse suspecte du garçon qui pleurait. Puis elle ramassa avec soin son cabas de raphia [4] où sautaient des poissons, son havenet, passa son crochet de fer à sa ceinture comme une épée, et s'éloigna d'un pas ferme, sans se retourner.

---

1. Zostères : herbes marines formant de vastes prairies sous-marines littorales.
2. Fourgonna : fouilla énergiquement.
3. Congre : poisson marin appelé aussi anguille de mer.
4. Raphia : fibre solide dont on se sert notamment pour faire des sacs.

13

Il ne la revit qu'un peu avant le dîner. Elle avait échangé ses vêtements de pêche contre la robe de crépon bleu, fidèle à la couleur de ses yeux, festonnée [1] de rose. Il remarqua qu'elle était chaussée de bas blancs et de souliers de daim, et cet apprêt dominical l'inquiéta.

– Il y a du monde à dîner ? demanda-t-il à l'une des Ombres familiales.

– Compte les couverts, répondit l'Ombre en haussant les épaules.

Août finissait, et l'on dînait déjà à la lueur des lampes, les portes ouvertes sur le couchant vert où nageait encore un fuseau de cuivre rose. La mer déserte, d'un bleu-noir d'hirondelle, dormait, et quand les dîneurs se taisaient, on entendait le petit flux lassé et régulier des marées de morte-eau. Philippe chercha, entre les Ombres, le regard de Vinca, pour éprouver la force de ce fil invisible qui les liait l'un à l'autre depuis tant d'années et les préservait, exaltés et purs, de la mélancolie qui accable les fins de repas, les fins de saison, les fins de journée. Mais elle baissait les yeux sur son assiette, et la lumière de la suspension polissait ses paupières bombées, ses joues rondes et brunes, son petit menton. Alors il se sentit abandonné et chercha – par-delà la presqu'île en forme de lion qui s'avançait, sommée de trois étoiles tremblantes, sur la mer – le chemin, blanc dans la nuit, qui menait à *Ker-Anna*.

---

1. *Festonnée* : voir note 2, p. 41. Il s'agit ici d'une métaphore.

Quelques heures encore, un peu plus de cendre bleue dans ce ciel
que le couchant teignait d'aurore, encore quelques phrases
rituelles : « Eh, eh, déjà dix heures. Les enfants, vous n'avez pas
l'air de vous douter qu'on se couche à dix heures, ici ? » « Je n'ai
pourtant rien fait d'extraordinaire, madame Audebert, eh bien, je
me sens fatiguée comme si je n'avais pas arrêté... » Encore
quelques tintements de vaisselle, le dur clapotis des dominos sur
la table nue, encore une protestation gémissante de Lisette qui,
endormie aux trois quarts, refuserait de se coucher... Encore une
tentative pour reconquérir le regard, le sourire intérieur, la
confiance de Vinca mystérieusement blessée, et l'heure sonnerait,
la même heure qui avait vu, la veille, Philippe s'en aller furtive-
ment... Il y songea sans désir précis, sans dessein, et comme
contraint, par l'humeur de Vinca, de battre en retraite vers un
autre refuge, une autre douce épaule, une chaleur efficace, urgente
à ce convalescent du plaisir, meurtri en outre par l'hostilité passionnée d'une adolescente...

Les rites s'accomplirent, un à un ; une servante emporta Lisette
geignante, et Mme Ferret posa, sur la table miroitante, le double-
six[1].

– Tu viens dehors, Vinca ? C'est assommant, ces bombyx[2] qui
se cognent à toutes les lampes...

Elle le suivit sans répondre et ils trouvèrent encore, près de la
mer, cette clarté qu'y abandonne longtemps le crépuscule.

– Tu ne veux pas que j'aille te chercher ton écharpe ?

– Non, merci.

Ils marchèrent tous deux, baignés d'une buée bleue très légère
qui montait du pré de mer, et qui sentait le serpolet. Philippe se
retint de prendre le bras de son amie, et s'épouvanta de sa discrétion.

---

1. Double-six : pièce du jeu de domino dont les deux parties sont gravées de
six points.
2. Bombyx : papillons de nuit.

« Mon Dieu, qu'y a-t-il entre nous ? Sommes-nous perdus l'un
55 pour l'autre ? Puisqu'elle ignore ce qui s'est passé *là-bas*, je n'ai
peut-être, moi, qu'à l'oublier, et nous redeviendrons heureux
comme avant, malheureux comme avant, unis comme avant ? »

Mais il n'ajoutait pas à son souhait la foi hypnotique, puisque
Vinca marchait à son côté, froide et douce comme si son grand
60 amour l'eût quittée, et qu'elle ne percevait pas l'angoisse de son
compagnon. Aussi bien Phil sentait approcher l'*heure* et souffrait
d'une trépidation pareille à la fièvre qu'il eut le lendemain du jour
où, piqué par une vive [1], il sentait dans son bras pansé la brûlure
qu'y réveillait la marée montante...

65 Il s'arrêta, s'essuya le front :

– J'étouffe. Je ne suis pas bien, Vinca.

– Oh ! non, pas bien, dit en écho la voix de Vinca.

Il crut à une trêve, s'empressa de la voix et du geste :

– Oh ! tu es gentille ! Oh ! chérie !...

70 – Non, interrompit la voix, je ne suis pas gentille.

La phrase enfantine laissa de l'espoir à Philippe, qui saisit le
bras nu de son amie.

– Tu m'en veux, je sais bien, d'avoir pleuré aujourd'hui
comme une femme...

75 – Non, pas comme une femme...

Il rougit dans l'ombre, et tenta de s'expliquer :

– Tu comprends, ce congre que tu tourmentais dans son
trou... Le sang de cette bête sur ton croc à homards... J'en ai eu
brusquement le cœur tourné...

80 – Ah ! oui, le cœur... tourné...

Le son de la voix fut si intelligent que Philippe retint son
souffle effrayé. « Elle sait tout. » Il attendit l'écrasant récit, et l'ex-
plosion des larmes, des plaintes. Mais Vinca resta muette, et après
un long temps, comme après la pause calme qui suit la foudre, il
85 risqua une question timide :

---

1. *Vive* : poisson dont les nageoires sont garnies d'épines venimeuses.

– Et cette faiblesse-là suffit pour que tu aies l'air de ne plus m'aimer ?

Vinca tourna vers lui la tache nébuleuse et claire de son visage, serré entre les deux haies rigides de ses cheveux :

90 – Oh ! Phil, je t'aime toujours. Malheureusement, ça n'y change rien.

Il sentit son cœur bondissant heurter sa gorge :

– Oui ? Alors tu vas me pardonner d'avoir été si « petite fille », si ridicule ?

95 Elle n'hésita qu'une seconde :

– Mais oui. Je vais te pardonner, Phil. Mais ça aussi, ça n'y change rien.

– À quoi ?

– À nous, Phil.

100 Elle parlait avec une douceur sibylline [1], qu'il n'osa interroger davantage, et dont il n'osa se réjouir. Vinca le suivit sans doute dans son mouvement de repli mental, car elle ajouta subtilement :

– Tu te souviens des scènes que tu me faisais, et des miennes, il n'y a pas trois semaines, parce que nous nous impatientions

105 d'avoir quatre ans, cinq ans à nous morfondre avant de nous marier ?… Mon pauvre Phil, je crois bien que j'aimerais retourner en arrière et redevenir enfant, aujourd'hui…

Il attendit qu'elle soulignât, qu'elle commentât cet habile, cet insidieux « aujourd'hui » suspendu devant lui dans l'air pur et bleu

110 de la nuit d'août. Mais Vinca savait déjà s'armer de silence. Il insista :

– Alors, tu ne m'en veux plus ? Demain, nous serons... nous serons Vinca et Phil, comme toujours ? Pour toujours ?

– Pour toujours, si tu le veux, Phil… Viens. Rentrons. Il fait

115 frais.

Elle n'avait pas répété après lui « comme toujours ». Mais il se contenta de ce serment incomplet et de la froide petite main ser-

---

1. Sibylline : mystérieuse, dont on a du mal à saisir le sens.

rée un moment dans la sienne. Car à cet instant, la chaîne du puits
déroulée, le tocsin [1] du seau vide sur la margelle [2], le grincement
120 des rideaux au long de leur tringle dans une fenêtre ouverte, les
derniers bruits humains de la journée sonnèrent pour Philippe
l'heure, la même heure qu'il avait guettée, la veille, pour rouvrir
la porte de la villa et s'élancer secrètement... Ah ! la sourde et
rouge lumière d'une chambre inconnue... Ah ! le noir bonheur, la
125 mort atteinte par degrés, la vie recouvrée par lents coups d'aile...

Comme s'il eût attendu, depuis la veille, une sorte d'absolution [3] de Vinca, absolution ambiguë qu'elle venait de lui accorder
avec tant de sincérité dans l'accent, tant de réticence dans les
mots, il évalua soudain, en homme, le don qu'une belle démone
130 autoritaire lui avait remis.

---

1. *Tocsin* : il s'agit d'une métaphore. Les mouvements et les coups du seau
contre les rebords du puits évoquent la cloche qui sert à donner l'alarme (le
tocsin).
2. *Margelle* : rebord du puits.
3. *Absolution* : pardon.

14

– Il est fixé, le jour de votre départ pour Paris ? demanda Mme Dalleray.

– C'est toujours le 25 septembre que nous devons rentrer, répondit Philippe. Quelquefois, selon la place des dimanches
5 dans le mois, notre départ tombe le 23 ou le 24, ou le 26. Mais ça ne varie guère de plus de deux jours.

– Oui… En somme, vous partez dans une quinzaine. Dans une quinzaine, à cette heure-ci…

Philippe détacha son regard de la mer, plate et blanche près
10 des sables, au loin couleur de dos de thon sous les nuées basses, et se tourna avec étonnement vers Mme Dalleray. Enroulée dans une étoffe ample et blanche comme la robe des femmes de Tahiti, elle fumait gravement, coiffée net, poudrée d'une poudre de la même couleur que sa peau, et rien en elle ne révélait que ce jeune
15 homme assis non loin d'elle, beau et brun comme elle, lui fût autre chose qu'un jeune frère.

– Alors, dans une quinzaine, à cette heure-ci, vous serez… où ?

– Je serai… au Bois, sur le lac. Ou bien au tennis de Boulogne, avec… avec des amis.
20 Il rougit, car il n'avait retenu qu'au bord de ses lèvres le nom de Vinca et Mme Dalleray sourit, de ce sourire viril qui lui donnait souvent l'air d'un beau garçon. Philippe se détourna vers la mer, pour cacher du moins son visage, où paraissait une humeur méchante de petit dieu fâché. Une main ferme et veloutée se posa
25 sur la sienne. Alors, sans qu'il quittât du regard la mer ternie, une

expression d'agonie bienheureuse monta de sa bouche desserrée à ses yeux dont l'éclat blanc et noir s'éteignit entre les paupières…

– Il ne faut pas être triste, dit doucement Mme Dalleray.

– Je ne suis pas triste, protesta vivement Philippe. Vous ne pou-
30 vez pas comprendre…

Elle inclina sa tête aux cheveux lustrés.

– C'est juste. Je ne peux pas comprendre. Pas tout.

– Oh…

Philippe contempla, avec une défiance religieuse, celle qui
35 l'avait délivré d'un secret redoutable. Ces petites oreilles rougies retentissaient-elles encore d'un cri bas, étouffé comme le cri d'un être à qui on coupe la gorge ?… Ces bras, riches de muscles à peine visibles, l'avaient porté, léger, évanoui, de ce monde dans un autre monde ; cette bouche, avare de paroles, s'était penchée
40 pour transmettre à sa bouche un seul mot tout-puissant et pour murmurer, indistinct, un chant qui venait, écho affaibli, des profondeurs où la vie est une convulsion terrible… Elle savait tout…

– Pas tout, répéta-t-elle, comme si le silence de Philippe eût quêté une réponse. Mais vous n'aimez pas que je vous pose des
45 questions. Et je suis quelquefois un peu indiscrète…

« Comme l'éclair, oui, pensa Philippe. Le temps d'un zigzag de foudre, on est bien forcé de lui livrer ce que le grand jour même laisse dans l'ombre… »

– Et je voulais savoir seulement si vous seriez bien aise de me
50 quitter.

Le jeune homme baissa les yeux sur ses pieds nus. Un vêtement lâche, de soie brodée, le déguisait en prince oriental, et l'embellissait.

– Et vous ? demanda-t-il avec gaucherie.

55 La cendre de la cigarette que tenaient les doigts de Mme Dalleray tomba sur le tapis.

– Je ne suis pas en question. Il s'agit de Philippe Audebert et non de Camille Dalleray.

Il leva les yeux sur elle avec l'étonnement que lui causait, encore une fois, le prénom insexué. «Camille... C'est vrai, qu'elle s'appelle Camille. Elle pourrait s'en dispenser. Je la nomme en moi Mme Dalleray, la Dame en blanc, ou Elle... »

Elle fumait lentement, et contemplait la mer. Jeune ? Certainement jeune, trente à trente-deux ans. Impénétrable comme sont les êtres calmes, dont le maximum d'expression ne dépasse pas l'ironie tempérée, le sourire et la gravité. Sans détourner son regard de l'étendue où couvait l'orage, elle posa de nouveau sa main sur celle de Philippe qu'elle serra, indifférente à lui et pour son seul plaisir égoïste. Sous cette main petite et puissante, il parla, contraint de verser son aveu, comme un fruit pressé répand son suc :

– Si, je serai triste. Mais j'espère ne pas être malheureux.

– Oui ? Et pourquoi l'espérez-vous ?

Il lui sourit faiblement, fut touchant, maladroit, tel qu'elle aimait secrètement qu'il fût.

– Parce que, répondit-il, je pense que vous arrangerez quelque chose... Oui, vous arrangerez quelque chose ?

Elle leva l'épaule, haussa ses sourcils persans. Elle se força un peu pour donner à son sourire la sérénité et le dédain habituels.

– Quelque chose... répéta-t-elle, c'est-à-dire, si j'entends bien, que je vous inviterai chez moi, comme je fais ici, si cela me plaît encore, et vous n'aurez à vous soucier que de me rejoindre, à l'heure que vos obligations scolaires et... familiales vous imposeront ?

Il se montra surpris du ton, mais soutint le regard de Mme Dalleray :

– Oui, répondit-il. Que ferais-je d'autre ? Me le reprochez-vous ? Je ne suis pas un petit vagabond libre. Et je n'ai que seize ans et demi.

Elle rougit lentement.

– Je ne vous reproche rien. Mais est-ce que vous n'imaginez pas qu'une femme... une autre femme que moi, naturellement, pourrait être choquée de comprendre que vous désirez, d'elle, une heure de solitude, – seulement, seulement cela ?

Phil l'écoutait avec une attention loyale d'écolier, ses yeux
95 grands ouverts attachés à cette bouche réticente, à ces yeux jaloux
qui, pourtant, ne revendiquaient rien.

– Non, dit-il sans hésiter. Je ne conçois pas que vous puissiez
en être blessée. « Seulement cela ? » Oh… seulement cela…

Il se tut, interrompu de nouveau par la même pâleur, la même
100 consternation bienheureuse, et la tranquille hardiesse de Camille
Dalleray vacilla, mesurant le respect qu'elle devait à son œuvre.
Comme ébloui, Philippe laissa tomber sa tête en avant, et ce mouvement de soumission enivra un moment la conquérante.

– Vous m'aimez ? dit-elle à voix basse.

105 Il tressaillit, la regarda, effrayé.

– Pourquoi… pourquoi me le demandez-vous ?

Elle reprit son sang-froid, son sourire dubitatif[1].

– Pour jouer, Philippe…

Il ne cessa pas tout de suite de l'interroger des yeux, en la blâ-
110 mant d'être téméraire en paroles.

« Un homme fait m'eût dit "oui", songeait-elle. Mais cet enfant,
si j'insiste, va pleurer et me crier dans ses larmes, à travers des bai-
sers, qu'il ne m'aime pas. Vais-je insister ? Alors il me faudra le
chasser, ou bien l'écouter en tremblant, et apprendre de sa bouche
115 la limite précise de mon avantage ? »

Elle éprouva, au niveau du cœur, une petite contraction
pénible, et se leva nonchalamment pour aller à la baie ouverte,
comme si elle oubliait la présence de Phil. L'odeur des petites
moules bleues, découvertes depuis quatre heures au bas
120 des rochers et altérées d'eau de mer, entrait avec l'épais parfum
de sureau[2] bouilli qu'exhalaient les troènes[3] à bout de floraison.

---

1. Dubitatif : qui exprime le doute.

2. Sureau : arbuste à fleurs blanches parfumées.

3. Troènes : arbustes à fleurs blanches et à baies noires toxiques, qui servent
souvent à former des haies.

Accoudée, distraite en apparence, Mme Dalleray sentait derrière elle la présence du jeune homme étendu, et portait le poids
125 d'un souhait qui ne la quittait pas.

«Il m'attend. Il calcule le plaisir qu'il peut espérer de moi. Ce que j'ai obtenu de lui était à la portée de n'importe quelle autre passante. Mais ce petit bourgeois timoré[1] se gourme[2] quand je lui demande des nouvelles de sa famille, fait des façons pour me
130 parler de son collège, et s'enferme dans un bastion de silence et de pudeur avec le nom de Vinca... Il n'a appris de moi que le plus facile... Le plus facile... Il apporte ici, dépose et reprend en même temps que son vêtement, chaque fois, ce... cet... »

Elle s'aperçut qu'elle venait d'hésiter devant le mot « amour[3] »
135 et elle quitta la fenêtre. Philippe la regardait approcher avidement. Elle lui mit ses bras sur les épaules, et d'une poussée un peu brutale fit chavirer, sur son bras nu, la tête brune. Ainsi chargée, elle se hâta vers l'étroit et obscur royaume où son orgueil pouvait croire que la plainte est l'aveu de la détresse, et où les quéman-
140 deuses de sa sorte boivent l'illusion de la libéralité[4].

---

1. *Timoré* : peureux.

2. *Se gourme* : affecte un air, un maintien raide et compassé.

3. Dans *Le Matin*, les lignes qui suivent ont été supprimées (voir présentation, p. 9).

4. *Libéralité* : générosité.

15

Une pluie légère, pendant quelques heures de nuit, avait vaporisé les sauges, vernissé les troènes, les feuilles immobiles du magnolia, et emperlé sans les crever les gazes [1] protectrices dont s'enveloppait, dans un pin, le nid des chenilles processionnaires [2].
5 Le vent laissait en repos la mer, mais chantait sous les portes avec une voix faible et tentatrice, chargée de souvenirs de l'an passé, qui parlait sourdement de marrons grillés et de pommes mûres... À son instigation, Philippe revêtit en se levant un chandail bleu sombre sous sa veste de toile, déjeuna le dernier, comme il lui arri-
10 vait souvent depuis que son sommeil, moins pur et moins tranquille, commençait plus tard dans la nuit. Il courut, quêtant Vinca, comme il eût cherché, en dépassant l'ombre d'un mur, une terrasse lumineuse. Mais il ne la trouva ni dans le hall, où l'humidité ranimait l'odeur de boiserie vernie et de toile de chanvre, ni sur la ter-
15 rasse. Une fumée de pluie impalpable encensait l'air et adhérait à la peau sans la mouiller. Une feuille de tremble, jaune, détachée, se balança un moment devant Philippe avec une grâce intentionnelle, puis chavira et tomba roide, accrue soudain d'un poids invisible. Il tendit l'oreille, entendit dans la cuisine le bruit hivernal du char-
20 bon versé dans le fourneau. Dans une chambre, la petite Lisette protesta d'une voix aiguë, puis pleura un moment.

– Lisette ! appela Philippe. Lisette, où est ta sœur ?

---

1. *Gazes* : bandes de gaze, voile transparent.
2. *Chenilles processionnaires* : chenilles du genre bombyx (voir note 2, p. 94) qui se déplacent en longues files.

– Je ne sais pas ! gémit une petite voix enrhumée de larmes.

Une rafale de vent brusque cueillit une ardoise sur le toit et la
25 jeta en éclats aux pieds de Philippe, qui la regarda avec stupeur
comme si le destin eût brisé devant lui le miroir qui promet sept
ans de malheur… Il se sentit petit garçon, et très loin du bonheur.
Il n'eut aucune envie d'appeler celle qui, dans la villa ombragée
de pins, là-bas, de l'autre côté du cap en forme de lion, eût cepen-
30 dant aimé le voir pusillanime[1], et penchant vers l'appui de
quelque indomptable énergie féminine… Il fit le tour de la maison, ne découvrit ni la tête blonde de son amie, ni sa robe bleue
couleur de chardon bleu, ou sa robe blanche en coton spongieux[2]
d'un blanc de champignon frais. Deux longues jambes brunes, au
35 genou sec et fin, ne se hâtèrent pas à sa rencontre ; deux yeux
bleus, riches de deux ou trois bleus et d'un peu de mauve, ne fleu-
rirent nulle part pour désaltérer les siens…

– Vinca ! Où es-tu, Vinca ?

– Mais je suis là, répondit une voix calme, tout près de lui.

40 – Dans la remise ?

– Dans la remise.

Accroupie, sous la lumière froide des abris sans fenêtre qui ne
prennent jour que par la porte, elle remuait des étoffes répandues
sur un drap usé.

45 – Qu'est-ce que tu fais ?

– Tu vois bien. Je range. Je trie. On part bientôt, alors il faut
bien… c'est maman qui m'a dit…

Elle regarda Philippe et se reposa en croisant ses bras sur ses
genoux pliés. Il lui trouva un air pauvre et patient, et s'irrita.

50 – Ça ne presse pas à ce point-là ! Et pourquoi fais-tu ça toi-même ?

– Qui le ferait ? Si maman s'y met, son rhumatisme du cœur
la reprendra.

– Mais la femme de chambre peut bien…

---

1. *Pusillanime* : qui manque d'audace, de courage.
2. *Spongieux* : qui rappelle l'éponge.

Vinca haussa les épaules et reprit sa besogne, en se parlant à
55 elle-même tout bas, comme font les vraies ouvrières, qui mènent
un petit fredon[1] humble d'abeilles occupées :

– Ça, c'est les maillots de bain de Lisette... le vert... le bleu... le
rayé... autant les jeter, c'est tout ce qu'ils méritent. Ça, c'est ma robe
à feston rose... Elle vaut peut-être encore un blanchissage... Une
60 paire, deux paires, trois paires d'espadrilles à moi... Et celle-là à
Phil... Encore à Phil... Deux vieilles chemises en cellular[2] à Phil...
Les emmanchures sont craquées, mais les devants sont bons...

Elle tendit le tissu ajouré[3], découvrit deux accrocs, fit la moue.
Philippe la contemplait sans gratitude, en souffrant hostilement. Il
65 souffrait de l'heure matinale, de l'éclairage gris sous le toit de tuiles,
de la simple besogne. Une comparaison, que des heures d'amour
caché, là-bas, à *Ker-Anna*, ne lui avaient point inspirée, commençait
ici, comparaison qui n'atteignait pas encore la personne de Vinca,
Vinca religion de toute l'enfance, Vinca délaissée respectueusement
70 pour la dramatique et nécessaire ivresse d'une première aventure.

Une comparaison commençait ici, parmi ces hardes, éparses sur
un drap reprisé, entre ces murs de brique non crépie, devant cette
enfant en sarrau[4] violâtre décoloré aux épaules. Agenouillée, elle
interrompit son travail pour rejeter en arrière ses cheveux bien
75 taillés, que le bain quotidien et l'air salé entretenaient humides et
doux. Moins gaie depuis une quinzaine, elle montrait plus de calme,
et une égalité d'humeur obstinée qui inquiétait Philippe. Avait-elle
vraiment voulu mourir avec lui, plutôt que d'attendre le temps d'aimer librement, cette jeune ménagère coiffée à la Jeanne d'Arc ? Le
80 garçon aux sourcils froncés mesurait le changement, mais il ne songeait presque pas à Vinca en la contemplant. Présente, le péril de la
perdre cessait, et l'urgence de la recouvrer ne le tourmentait plus.

---

1. *Fredon* : chant.
2. *Cellular* : tissu de coton, à mailles lâches, qu'on emploie dans la confection des sous-vêtements, des chemises et des vêtements de sport.
3. *Ajouré* : qui a des ouvertures, des trous.
4. *Sarrau* : blouse de travail.

Mais une comparaison commençait, à cause d'elle. La faculté nouvelle de sentir, de souffrir inopinément, l'intolérance dont l'avait
85 doté récemment une belle pirate, s'enflammaient au moindre choc,
et aussi cette loyale injustice, ce début dans l'élévation qui consiste
à reprocher au médiocre sa médiocrité et sa philosophie. Il découvrait, non seulement le monde des émotions qu'on nomme, à la
légère, physiques [1], mais encore la nécessité d'embellir, matérielle-
90 ment, un autel où tremble une perfection insuffisante. Il connaissait
une naissante faim pour ce qui contente la main, l'oreille et les yeux,
– les velours, la musique étudiée d'une voix, les parfums. Il ne se le
reprochait pas, puisqu'il se sentait meilleur au contact d'un enivrant
superflu, et que certain vêtement de soierie orientale, endossé dans
95 l'ombre et le secret de *Ker-Anna*, lui ennoblissait l'âme.

Il obéit, maladroitement, à un dessein imprécis et généreux.
Négligeant de se révéler à lui-même qu'il souhaitait Vinca incomparable, parée, frottée de baumes, il se borna à distinguer le chagrin qu'il éprouvait à la voir prosternée, naïvement enlaidie.
100 Quelques mots durs lui échappèrent, auxquels Vinca ne répondit
pas. Il s'aigrit, et elle lui répliqua juste assez pour qu'il devînt inju-
rieux, puis honteux de sa violence. Il mit un peu de temps et d'effort à se ressaisir, à s'excuser avec une sorte de contrition [2] plate
qui lui fut agréable. Cependant, Vinca liait, d'une main patiente,
105 les sandales par paires, et retournait les poches des sweaters usés,
pleines de coquillages roses et d'hippocampes secs…

– Aussi, c'est ta faute, conclut Philippe. Tu ne réponds rien…
Alors, moi, je m'emballe, je m'emballe… Tu te laisses malmener.
Pourquoi ?
110 Elle l'enveloppa d'un regard de femme sagace, mûrie dans les
calculs et les concessions du grand amour :

– Pendant que tu me tourmentes, dit-elle, au moins tu es là [3]…

---

1. Voir présentation, p. 13.
2. *Contrition* : douleur liée au remords.
3. À la suite de plaintes de lecteurs, la direction du *Matin* décida d'interrompre la publication du texte de Colette après le chapitre 15.

16

« Nous finissons ici, cette année, pensait sombrement Philippe, en regardant la mer. Vinca et moi, un être juste assez double pour être deux fois plus heureux qu'un seul, un être qui fut Phil-et-Vinca va mourir ici, cette année. Est-ce que cela n'est
5 pas terrible ? Est-ce que je ne puis pas l'empêcher ? Et je reste là… Et ce soir, après dix heures, peut-être que je m'en irai encore une fois, la dernière fois des vacances, chez Mme Dalleray… »

Il pencha la tête, d'où les cheveux noirs pendirent, pleureurs.

« S'il fallait y aller maintenant, à cette heure, chez Mme Dalleray,
10 je refuserais. Pourquoi ? »

Blanche sous un soleil morne serré entre deux nues orageuses, la route qui menait à *Ker-Anna* collait au flanc de la colline, montait, puis cachait son but, au-delà d'un bouquet de genévriers rigides, gris de poussière. Philippe détourna les yeux, pris d'une
15 répugnance qui ne le trompa point. « Oui… Mais ce soir… »

Après trois goûters à *Ker-Anna*, il avait renoncé à ces visites diurnes, craignant l'inquiétude des siens et les soupçons de Vinca. Son extrême jeunesse d'ailleurs se lassait vite d'inventer des alibis. Il se méfiait aussi du parfum fort et résineux qui imprégnait
20 *Ker-Anna* et le corps, qu'il fût nu ou voilé, de celle qu'il nommait tout bas, tour à tour avec l'orgueil d'un petit garçon libertin ou le remords mélancolique d'un époux qui a trompé une femme chérie, – sa maîtresse, et parfois son « maître »…

« Que je sois découvert ou non, il nous faut finir ici.
25 Pourquoi ? »

Aucun livre, parmi tous les livres qu'il lisait librement, les coudes dans le sable, ou retiré, par pudeur plutôt que par peur, dans sa chambre, ne lui avait enseigné que quelqu'un dût périr dans un si ordinaire naufrage. Les romans emplissent cent pages, ou plus, de la préparation à l'amour physique, l'événement lui-même tient quinze lignes, et Philippe cherchait en vain, dans sa mémoire, le livre où il est écrit qu'un jeune homme ne se délivre pas de l'enfance et de la chasteté par une seule chute, mais qu'il en chancelle encore, par oscillations profondes et comme sismiques, pendant de longs jours...

Philippe se leva, marcha le long du pré de mer, rongé et fondu au bord par les marées d'équinoxe [1]. Un buisson d'ajoncs [2], refleuri, penchait vers la plage, tenu et sustenté [3] par une chevelure maigre de racines. « Quand j'étais petit, se dit Philippe, le buisson d'ajoncs ne penchait pas vers la plage. La mer a mangé tout ça – un mètre au moins – pendant que je grandissais... Et Vinca assure que c'est le buisson d'ajoncs qui a avancé... »

Non loin du buisson d'ajoncs se creusait cette combe [4] ronde, tapissée de chardons de dune, combe qu'à cause de la couleur des chardons bleus on nommait « les Yeux de Vinca ». C'est là qu'un jour Phil avait botté [5] en cachette une gerbe de chardons en fleurs, épineux hommage jeté par-dessus le mur de *Ker-Anna*... Aujourd'hui les fleurs sèches, aux parois de la combe, semblaient brûlées... Philippe s'y arrêta un moment, trop jeune pour sourire du sens mystérieux que l'amour prête à la fleur morte, à l'oiseau blessé, à la bague rompue, et il secoua son mal, élargit ses épaules, rejeta ses cheveux d'un mouvement fier et traditionnel, en s'adressant mentalement des objurgations [6] qui

---

1. *Marées d'équinoxe* : marées les plus hautes de l'année.

2. *Ajoncs* : arbrisseaux à feuilles en épines acérées, à fleurs jaunes.

3. *Sustenté* : le mot est ici pris dans son sens étymologique ; il signifie « soutenu ».

4. *Combe* : vallon.

5. *Avait botté* : avait lié en botte, en bouquet.

6. *Objurgations* : remontrances, reproches.

n'eussent pas déparé un roman d'aventures pour premiers commu-
55 niants.

« Allons ! assez de faiblesse ! En toute vérité je peux me dire, cette année, que je suis un homme ! Et mon avenir… »

Il s'entendit penser et rougit de lui-même. Son avenir ? Un mois plus tôt il y songeait encore. Il voyait, un mois plus tôt, cet
60 avenir peint de détails précis et puérils sur un grand fond vague, – l'avenir, et son vestibule d'examens, de baccalauréat recommencé, de travaux ingrats acceptés sans trop d'amertume parce qu'« il faut bien, n'est-ce pas » – l'avenir et Vinca, celui-là riche de celle-ci, l'avenir maudit ou béni au nom de Vinca.

65 « J'étais bien pressé, au commencement des vacances, songea Philippe. À présent… » Il eut un sourire, un regard d'homme malheureux. Sa lèvre noircissait chaque jour et la poussée du premier poil, duveteux et fin, qui est à la moustache ce que le foin forestier est à la roide herbe des champs, enflait un peu sa bouche et
70 l'enfiévrait comme la bouche d'un enfant chagrin. C'est à cette bouche que venait et revenait impénétrable, presque vindicatif, le regard de Camille Dalleray.

« Mon avenir, voyons, mon avenir… C'est bien simple… Si je ne fais pas mon droit, mon avenir, c'est le magasin de papa, gla-
75 cières pour hôtels, châteaux ; phares, pièces détachées et quincaillerie pour l'automobile. Le bachot, et tout de suite après le magasin, les clients, la correspondance… Papa n'y gagne pas de quoi avoir son auto… Ah ! il y a aussi mon service militaire… À quoi est-ce que je pense ?… Nous disons donc qu'après mon
80 bachot… »

Son effort cassa net, refoulé par un ennui illimité, par une profonde indifférence à tout ce que cachait un futur pourtant sans secrets. « Si tu fais ton service militaire aux environs de Paris, alors moi, pendant ce temps-là… » La petite voix aimante de Vinca mur-
85 mura, dans la mémoire de Philippe, vingt projets qui dataient de cet été même, et gisaient maintenant plats et pâles, découpés dans un papier où l'enluminure manquait. La zone colorée de ses

espoirs ne dépassait pas la fin de la journée, l'heure du dîner, de jouer aux échecs avec Vinca ou Lisette, – plutôt Lisette, dont les huit ans agressifs, l'œil aigu, la précocité calculatrice soulageaient Philippe de son faix[1] sentimental – enfin l'heure d'aller s'offrir au plaisir... « Et encore, songea-t-il, ce n'est pas sûr que j'y aille. Non. Puisque je ne suis pas comme un fou, ni comptant les minutes, ni tourné vers *Ker-Anna* comme un tournesol vers la lumière, je peux bien revendiquer le droit d'être moi-même, de continuer, de prendre goût à tout ce que j'aimais *avant*... »

Il ne prenait pas garde qu'en se servant de ce mot-là, il le plantait, rigide, entre deux parties de son existence. Il ne savait pas encore pendant combien de temps tous les événements de sa vie devraient buter contre ce jalon, repère miraculeux et banal : « Ah ! oui, c'était *avant*... Je me souviens que c'était un peu *après*... »

Il songea, dédaigneux et jaloux, à des camarades d'externat, tremblants d'attente sur un seuil ignoble qu'ils repassaient en sifflotant, menteurs, décolorés de dégoût et vantards. Puis ils n'y pensaient plus, puis y retournaient, le tout sans interrompre l'étude, les jeux, les cigares clandestins et les débats politiques ou sportifs. « Tandis que moi... C'est donc sa faute, à Elle, si je ne souhaite rien, même pas elle ?... »

Un « bouchon » de brume, venu du large, abordait la côte. Il n'avait été qu'un petit rideau effiloché sur la mer, errant, capable à peine de cacher un îlot rocheux. Un ruisseau de vent venait de le saisir, de le brasser, et le déposait vertigineusement sur la baie, tassé, opaque. En un moment Philippe, noyé de brume, vit disparaître la mer, la plage et la maison, et toussa dans un bain de vapeur. Habitué aux prodiges d'un climat marin, il attendit qu'un autre bras de vent dissipât celui-ci, et s'accommoda de ces limbes, de cette cécité symbolique, au fond desquels brillaient un calme visage, rejeté hors des cheveux comme une lune pure, et des mains oisives qui ne faisaient presque aucun geste. « Elle est

---

1. *Faix* : fardeau, charge pénible à porter.

120 immobile… mais qu'elle me rende, à moi, le cours du temps, la hâte, l'impatience, la curiosité… Ce n'est pas juste… Ce n'est pas juste… Je lui en veux… »

Il s'essayait à la révolte et à l'ingratitude. Un enfant de seize ans et demi ignore qu'un ordre impénétrable place, sur la route
125 de ceux dont l'amour méditait de faire des amants trop pressés de vivre et impatients de mourir, de belles missionnaires [1] lourdes d'un poids de chair qui arrête le temps, endort et contente l'esprit et conseille au corps de mûrir dans son ombre.

Le bouchon de brume se retira soudain, aspiré en l'air, comme
130 un drap qu'on lève du pré, en laissant une frange d'eau éphémère à chaque glaive d'herbe, une rosée de perles aux feuilles pelucheuses, un vernis humide aux feuilles glabres.

Le soleil de septembre versa une jaune lumière nette et rajeunie sur la mer, bleue au loin, verdie au bord par les sables immergés.

135 Philippe respira, après le passage de la brume marine, avec le plaisir de surgir, baigné d'air et de clarté, hors d'un couloir étouffant. Il se tourna vers la terre pour voir ruisseler, entre les failles des rochers, l'or des ajoncs refleuris, et tressaillit de trouver derrière lui, comme un esprit apporté et oublié par la brume, un petit
140 garçon silencieux.

– Qu'est-ce que tu veux, petit ? Tu n'es pas le garçon de la Cancalaise qui nous vend du poisson ?

– Si, dit le petit.

– Il n'y a personne à la cuisine ? Tu cherches quelqu'un ?

145 Le petit garçon secoua la poussière de ses cheveux roux.

– C'est la dame qui m'a dit…

– Quelle dame ?

– Elle m'a dit : «Tu diras à M. Phil que je suis partie. »

– Quelle dame ?

150 – Je ne sais pas. Elle m'a dit : «Tu diras à M. Phil que je suis forcée de partir aujourd'hui. »

---

1. *Missionnaires* : ici, femmes chargées d'une mission ; au sens propre, religieux qui ont pour mission de propager leur religion.

– Où t'a-t-elle dit ça ? Sur la route ?

– Oui… Dans son auto.

– Dans son auto…

155 Philippe ferma un moment les yeux, passa la main sur son front, en sifflotant avec emphase [1] : «Hu… hu… hu… Dans son auto… Parfaitement. Hu… Hu… » Il rouvrit les yeux, chercha le messager, qu'il ne trouva plus à sa place, et il crut à un de ces rêves brefs, esquissés crûment, brutalement effacés, qu'enfante la 160 sieste d'après-midi. Mais il aperçut, sur un sentier de falaise, l'enfant maléfique qui montrait, en s'éloignant, son chaume de cheveux et une pièce bleuâtre, carrée, à sa culotte.

Philippe prit un air sot et avantageux comme si le garçonnet de Cancale eût pu le voir encore.

165 «Ben… ça n'y change pas grand-chose, qu'elle soit partie. Un jour plus tôt, un jour plus tard… puisqu'elle devait partir ! »

Mais un mal étrange, presque tout physique, naissait en lui, au niveau de l'estomac. Il laissa croître son mal, en penchant la tête intelligemment, et comme s'il eût écouté un conseil mystérieux.

170 «Peut-être qu'avec une bicyclette… Mais si elle n'est pas seule ? Je n'ai pas pensé à demander au gosse si elle était seule… »

Une automobile lointaine corna, sur la route de côte. Le son grave et soutenu suspendit un moment le mal qui étreignit Philippe, un moment après, comme la crampe d'un swing [2] placé bas.

175 «Au moins, je n'ai plus besoin de me demander si j'irai ce soir chez elle… »

Il imagina soudain la villa *Ker-Anna* fermée sous la lune, les volets gris, la grille noire, les géraniums prisonniers, et frissonna. Il se coucha dans un pli du pré sec, roulé sur lui-même à la 180 manière des jeunes chiens de chasse qui souffrent de «la maladie», et il commença à gratter l'herbe sableuse, d'un mouvement

---

1. *Emphase* : force expressive, exagération qui marque l'affectation.
2. *Swing* : crochet horizontal frappé du bras en pivotant le buste.

régulier de ses deux pieds. Il ferma les yeux, car la course des gros nuages, leur blanc épais et ballonné le soulevaient d'une nausée légère. Il grattait rythmiquement le pré, et chantonnait en mesure. 185 Ainsi la femme qui souffre pour mettre au monde son fruit le berce, et geint un geignement progressif, jusqu'au grand cri.

Philippe ouvrit les yeux, s'étonna, reprit ses sens.

«Mais… Qu'est-ce que j'ai ? Je le savais bien qu'elle devait partir avant nous. J'ai son adresse à Paris, son numéro de télé- 190 phone… et puis, qu'est-ce que ça me fait, qu'elle parte ? C'est ma maîtresse, ce n'est pas mon amour… je puis vivre sans elle.»

Il s'assit, écossa le long des lances d'herbe les chapelets d'escargots grimpeurs dont les vaches sont friandes. Il s'exerça au rire et à la grossièreté.

195 «Elle part, bon. Elle n'est peut-être pas seule, c'te femme… Elle ne s'est pas amusée à me raconter ses petites affaires, n'est-ce pas… Bon. Seule ou pas seule, elle part. J'y perds… quoi ? Une nuit, la prochaine. Une nuit, avant mon départ. Une nuit, que je n'étais même pas sûr de désirer tout à l'heure. Je ne songeais qu'à 200 Vinca… On se passera d'une nuit agréable, voilà… »

Mais une sorte de souffle passa dans son esprit, balaya le vocabulaire d'enfant de troupe, la fausse assurance, le ricanement intérieur, ne laissa qu'une surface mentale nue, refroidie, une conscience nette de ce que représentait le départ de Camille 205 Dalleray.

«Ah… elle est partie… elle est partie, hors d'atteinte, la femme qui m'a donné… qui m'a donné… comment appeler ce qu'elle m'a donné ? D'aucun nom. Elle m'a donné. Depuis le temps où j'ai cessé d'être le petit enfant que Noël enchante, elle seule m'a 210 donné. Donné. Elle seule pouvait reprendre, elle a repris… »

La rougeur monta à sa figure brune, une eau piquante mouilla ses yeux. Il ouvrit son vêtement sur sa poitrine, fouilla des dix doigts sa chevelure, se rendit pareil à un furieux qui sort d'un pugilat[1],

---

1. Pugilat : combat.

haleta, et cria tout haut, d'une rauque voix enfantine : «C'est cette
215   nuit-là que je voulais, justement ! »

Il tendit son visage, son torse appuyé sur ses poings, son
regard, vers *Ker-Anna* invisible : déjà un amas de nimbus [1], occu-
pant le sud du ciel, accablait ce sommet de colline déserté ; et
Philippe accepta qu'une malice toute-puissante supprimât jus-
220   qu'au point du monde où il avait connu Camille Dalleray.

Quelqu'un toussa, à quelques pieds au-dessous de lui, sur ce
sentier de sable fondant où les pierres plates et les rondins de
bois, vingt fois assujettis en escalier rustique, roulaient vingt fois
l'année sur la plage. Philippe vit paraître au ras du pré, et mon-
225   ter lentement, une tête grisonnante ; avec la virtuosité dissimula-
trice qui appartient à tous les enfants, il ravala son désordre, sa
fureur d'homme trahi, et attendit, muet, paisible, le passage de
son père.

– Te voilà, p'tit gars ?
230   – Oui, papa.

– Tu es seul ? Et Vinca ?

– Je ne sais pas, papa.

Presque sans effort, Phil maintenait sur son visage son masque
avenant, éveillé, de petit garçon brun. Son père, devant lui, res-
235   semblait à son père de tous les jours : une apparence humaine
agréable, un peu cotonneuse, à contours flous, comme toutes les
créatures terrestres qui ne se nommaient ni Vinca, ni Philippe, ni
Camille Dalleray. Phil attendit, patiemment, que son père eût
repris haleine.

240   – Tu n'as pas pêché, papa ?

– Penses-tu ! Je me suis promené. Il y a Lequérec qui a pris une
pieuvre… Tiens, tu vois ma canne ? voilà la longueur de ses bras.
C'est remarquable. Lisette en pousserait des cris ! Faites attention,
tout de même, en vous baignant.

245   – Oh ! tu sais, papa, ce n'est pas dangereux !…

---

1. *Nimbus* : gros nuage bas et gris.

Philippe se rendit compte qu'il avait protesté sur un ton trop haut, et faux, de gaminerie. Les yeux gris, saillants, de son père interrogèrent les siens ; il supporta mal un regard qui lui parut net, dévoilé, nettoyé de la buée isolante et protectrice derrière laquelle vivent, au milieu de leurs parents, les fils pleins de secrets.

— Ça t'ennuie, p'tit gars, ce départ ?

— Ce départ ?… mais, papa…

— Oui. Si tu es comme moi, ça t'ennuiera un peu plus tous les ans. Le pays, la maison. Et puis les Ferret… Tu verras comme c'est rare, des amis avec qui on passe l'été tous les ans, sans se faire de mal… Jouis de ton reste, p'tit gars. Encore deux jours de bon temps. Il y en a de plus malheureux que toi…

Mais déjà il rentrait, parlant encore, parmi les ombres, d'où un mot ambigu, un regard l'avaient extrait. Philippe lui prêta son bras pour franchir la pente effritée, en lui témoignant cette froide prévenance pitoyable, qui tombe de haut, de l'enfant sur le père, chaque fois que le père est un homme tranquille et mûr, et le fils un adolescent tumultueux qui vient d'inventer l'amour, les tourments de la chair et la fierté d'être seul, au milieu du monde, à souffrir sans demander de secours.

Au niveau de la terrasse plane, étroite, sur laquelle reposait la villa, Philippe abandonna le bras de son père, voulut redescendre vers la plage, rejoindre sa place marquée, depuis moins d'une heure, dans un coin précis de la solitude humaine.

— Où donc vas-tu, p'tit gars ?

— Là, papa… en bas…

— Ça presse ?… Viens un peu. Je voudrais t'expliquer des choses, pour la villa. Tu sais qu'on se décide, nous deux Ferret. On l'achète. D'ailleurs, tu le sais bien, il y a assez longtemps qu'on en parle devant vous, les enfants…

Phil ne répondit pas, n'osant ni mentir, ni avouer la surdité bourdonnante qui le retranchait des conversations familiales.

— Viens, je vais t'expliquer. D'abord mon idée – d'accord avec Ferret – d'élargir la villa par deux ailes sans étage, dont le dessus

280 fournirait deux terrasses aux chambres principales du premier...
Tu saisis ?

Phil hocha la tête d'un air sagace[1], et il tenta d'écouter hon-
nêtement. Mais quoi qu'il fît, il perdit pied à partir d'un mot, le
mot : « encorbellement[2] », et redescendit mentalement la pente,
285 jusqu'à l'endroit où le petit garçon maléfique lui avait dit...
« encorbellement... encorbellement... J'en suis resté à encorbellement ». Cependant il hochait la tête, et son regard, empreint d'une
filiale activité, allait du visage de son père au toit suisse de la villa,
du toit à la main de M. Audebert qui dessinait dans l'air une archi-
290 tecture nouvelle. « Encorbellement... »

– Tu saisis ? Nous ferons ça, Ferret et moi. Ou peut-être que
ce sera toi, d'accord avec la petite Ferret... Car on ne sait ni qui
vit, ni qui meurt...

« Ah, j'entends de nouveau ! » s'écria Philippe en lui-même,
295 avec un sursaut de délivrance.

– Ça te fait rire ? Il n'y a pas de quoi rire. Vous ne croyez
jamais à la mort, gamins !

– Mais si, papa...

« La mort... Enfin, un mot familier, compréhensible... Un mot
300 de tous les jours... »

– Il y a évidemment de grandes probabilités pour que tu
épouses Vinca, plus tard. Du moins c'est ta mère qui l'assure.
Mais il y a aussi de grandes probabilités pour que tu ne l'épouses
pas. Qu'est-ce qui te fait sourire ?

305 – Ce que tu dis, papa...

« Ce que tu dis, et cette simplesse des parents, des gens mûrs,
de ceux qui ont, comme ils disent, vécu, et leur candeur, et leur
troublante pureté de pensée... »

---

1. Sagace : avisé, perspicace.
2. Encorbellement : position d'une construction (balcon, corniche...) en
saillie sur un mur.

310 – Remarque que je ne te demande pas ton avis là-dessus en ce moment. Tu me dirais : «Je veux épouser Vinca» ça me ferait autant d'effet que si tu me déclarais : «Je ne veux pas épouser Vinca.»

– Ah oui ?

– Oui. Ce n'est pas mûr. Tu es bien gentil, mais…

315 Les yeux gris saillants émergèrent encore une fois de la confusion universelle pour toiser Philippe.

– Mais il faut attendre. Elle ne pèsera pas très lourd, la dot de la petite Ferret. Qué que ça fait ? On se passe bien de velours et de soie et d'or, les premiers temps…

320 « De velours, de soie et d'or… Ah, le velours, la soie et l'or… rouge, noir, blanc, – rouge, noir, blanc ; – et le morceau de glace, taillé comme un diamant, dans le verre d'eau… Mon velours, mon luxe, ma maîtresse et mon maître… Ah, comment se passer d'un tel superflu… »

325 – … Travail… Commencements durs… Sérieux… Temps de penser à… l'époque où nous vivons…

« J'ai mal. Ici, à la hauteur de l'estomac. Et j'ai horreur de ce rocher violacé, sur le fond rouge sombre, blanc et noir de ce que je regarde en moi-même… »

330 – Vie de famille… choyé… Pardine ![1]… Pain blanc le premier… P'tit gars… Eh ben ?… eh ben ?…

La voix, les paroles intermittentes s'éteignirent dans un doux bruit d'eaux envahissantes. Philippe ne perçut plus rien, qu'un choc faible à l'épaule et un picotement d'herbe sèche contre sa 335 joue. Puis le son de plusieurs voix perça de nouveau, comme autant d'îlots acérés, le mugissement égal et agréable des eaux, et Phil rouvrit les yeux. Sa tête reposait sur les genoux de sa mère, et toutes les Ombres, en cercle, penchaient au-dessus de lui leurs visages inoffensifs. Un mouchoir, trempé d'alcool de lavande, tou-340 cha ses narines, et il sourit à Vinca qui s'interposait, colorée d'or, de brun rosé, de bleu cristallin, entre lui et les Ombres…

– Ce pauv'Coco !

---

1. Pardine ! : pardi !

– Je l'ai dit, je l'ai dit qu'il n'avait pas bonne mine !

– Nous causions tous deux, il était là, devant moi, et puis pouf !…

345 – Il est comme tous les garçons de son âge, incapable de surveiller son estomac, les poches bourrées de fruits…

– Et les premières cigarettes, vous les comptez pour rien ?

– Mon coco chéri !… Il a les yeux pleins de larmes…

– Naturellement ! C'est la réaction…

350 – D'ailleurs, ça n'a pas duré trente secondes, le temps de vous appeler. Je vous dis, il était là, nous causions tous les deux, et puis…

Phil se releva, léger, les joues froides.

– Mais ne bouge pas, voyons !

355 – Appuie-toi sur moi, p'tit gars…

Mais il tenait la main de Vinca, et souriait sans expression.

– C'est fini. Merci, maman. C'est fini.

– Tu ne veux pas te coucher, par hasard ?

– Oh ! non. J'aime mieux rester à l'air…

360 – Regardez-moi la tête de Vinca ! Il n'est pas mort, ton Phil ! Emmène-le, va. Mais restez autant que possible sur la terrasse !

Les Ombres s'éloignèrent, en peloton lent d'où s'élevaient des mains amies, des paroles d'encouragement ; un regard maternel y brilla une fois encore, et Philippe resta seul avec Vinca qui ne 365 souriait pas. D'un mouvement de bouche, d'un signe de tête rassurant, il l'invita à la gaieté, mais elle répondit, par un autre signe : « Non », et ne cessa pas de contempler Philippe, sa pâleur qui verdissait un peu le hâle brun, ses yeux noirs où le soleil trempait un rayon roux, sa bouche entrouverte sur de petites dents 370 épaisses… « Que tu es beau… Que je suis triste ! » disaient les yeux bleus de Vinca… Mais il n'y lisait pas de pitié, et elle lui laissait tenir sa dure main de pêcheuse et de joueuse de tennis comme elle lui eût tendu la poignée d'une canne :

– Viens, pria tout bas Philippe. Je vais t'expliquer… Ce n'est 375 rien. Mais allons dans un endroit tranquille.

Elle vint, et ils choisirent gravement, en guise de chambre secrète, un entablement de roc, parfois mouillé par les grandes marées, fourni par elles d'un sable à gros grains, vite séché. Aucun d'eux n'avait jamais songé qu'un secret pût être confié à des ten-
380 tures de cretonne [1] claire, à des parois de pitchpin [2] d'une réso-nance musicale qui portaient d'une chambre à l'autre, la nuit, la nouvelle qu'un des habitants de la villa tournait le bouton d'un commutateur [3], toussait ou laissait choir une clef. Sauvages à leur manière, ces deux enfants parisiens savaient fuir l'indiscret abri
385 humain, et cherchaient la sécurité de leur idylle et de leurs drames au milieu d'un pré découvert, sur le bord d'une aire rocheuse ou contre le flanc creux de la vague.

– Il est quatre heures, dit Philippe en consultant le soleil. Tu ne veux pas que j'aille te chercher ton goûter, avant qu'on s'installe ?
390 – Je n'ai pas faim, répondit Vinca. Toi, tu veux goûter ?

– Non, merci. Mon petit étourdissement m'a retiré l'appétit. Assieds-toi dans le fond, moi je suis mieux près du bord.

Ils parlaient simplement, se sachant prêts à des paroles graves, ou à un silence presque aussi révélateur.
395 Le soleil de septembre miroitait sur les jambes polies et brunes de Vinca, ployées au bord de sa robe blanche. Au-dessous d'eux, une houle inoffensive, que la brume en passant avait léchée et adoucie, dansait mollement, prenait par degrés sa couleur de beau temps. Les mouettes crièrent, et un chapelet de barques
400 s'égrena, une voile après l'autre sortant de l'ombre du Meinga [4] et gagnant la haute mer. Un chant enfantin, aigu, chevrotant, passa dans la brise ; Philippe se retourna, tressaillit et exhala une sorte de plainte irritée : tout en haut de la plus haute falaise, en cotte [5] bleuâtre et coiffé de cheveux roux, un petit garçon…

---

1. *Cretonne* : toile de coton très forte.
2. *Pitchpin* : bois de plusieurs espèces de pins de couleur rouge-brun.
3. *Commutateur* : interrupteur.
4. *Meinga* : nom d'un lieu réel en Bretagne.
5. *Cotte* : pantalon de protection porté par les travailleurs.

405   Vinca suivit le regard de Philippe.

– Oui, dit-elle, c'est le petit garçon.

Phil reprenait son sang-froid.

– Tu parles du petit garçon, je crois, de la marchande de poisson ?

410   Vinca secoua la tête :

– Le petit garçon, rectifia-t-elle, qui t'a parlé tout à l'heure.

– Qui m'a...

– Le petit garçon qui est venu t'informer du départ de la
dame.

415   Philippe haït soudain l'éclat du jour, le sable dur aux reins, et
le vent modéré lui brûla la joue.

– De... de quoi parles-tu, Vinca ?

Elle ne s'abaissa pas à répondre et continua :

– Le petit garçon te cherchait, il m'a rencontrée et m'a infor-
420 mée la première. D'ailleurs...

Elle acheva par un geste fataliste. Phil respira profondément,
avec une sorte de bien-être.

– Ah... Alors tu savais... Qu'est-ce que tu savais ?

– Des choses sur toi... Pas depuis longtemps. Ce que je sais,
425 je l'ai appris tout à la fois, il y a... trois ou quatre jours, mais je
me doutais...

Elle se tut, et Philippe aperçut, sous les prunelles bleues, en
haut de la fraîche joue enfantine de son amie, la nacre, le sillon
des larmes nocturnes et de l'insomnie, ce reflet satiné, couleur de
430 clair de lune, qu'on ne voit qu'aux paupières des femmes
contraintes de souffrir en secret.

– Bon, dit Philippe. Alors nous pouvons parler, à moins que
tu ne préfères ne pas parler... Je ferai ce que tu voudras.

Elle réprima un petit mouvement des coins de la bouche, mais
435 ne pleura pas.

– Non, nous pouvons parler. Je crois que c'est mieux.

Ils éprouvèrent un amer et identique contentement à distancer, dès les premiers mots de leur entretien, le lieu commun de la

dispute et du mensonge. C'est le fait des héros, des comédiens et
440 des enfants, de se sentir à l'aise sur un plan élevé. Ces enfants
espérèrent follement qu'une douleur noble pouvait naître de
l'amour.

– Écoute, Vinca, lorsque pour la première fois j'ai rencontré…

– Non, non, interrompit Vinca avec précipitation. Pas ça. Je ne
445 te demande pas ça. Je le sais. Là-bas, en bas du chemin du goémon. Penses-tu que je l'aie oublié ?

– Mais, protesta Philippe, il n'y avait rien, ce jour-là, à oublier
ni à retenir puisque…

– Mais, passe ! Passe ! Crois-tu que je t'ai amené ici pour que
450 tu me parles d'elle ?

Il sentit, à l'âpreté simple du ton de Vinca, que son propre
accent venait de manquer tout ensemble de naturel et de contrition.

– Me faire le récit de vos amours, n'est-ce pas ? Pas la peine.
455 Mercredi dernier, quand tu es rentré, j'étais levée, sans lumière…
Je t'ai vu… comme un voleur… Il faisait presque jour. Et cette
figure que tu avais… Alors, je me suis renseignée, tu penses… Sur
la côte, tu crois que tout ne se sait pas ? Il n'y a que les parents,
pour ne rien savoir…

460 Philippe, choqué, fronça les sourcils. La foncière brutalité
féminine, soulevée en Vinca par la jalousie, l'offensait. Il s'était
senti capable, en atteignant le refuge suspendu, de confiance
amollie, de larmes, enclin en effet à de longs aveux… Mais il n'ad-
mettait pas cette activité d'écorchée, cette rudesse expéditive qui
465 brûlait les relais pittoresques et flatteurs, et tendait vers… au fait,
vers quoi ?

« Elle va sans doute vouloir mourir, se dit-il. Elle voulait déjà
mourir ici même, un jour… Elle va vouloir mourir… »

– Vinca, il faut me promettre…

470 Elle tendit l'oreille, sans le regarder, et tout son corps exprima,
dans ce mouvement léger, l'ironie et l'indépendance.

– Oui, Vinca… Il faut me promettre que ni sur ce rocher, ni dans aucun lieu de la terre, tu… tu ne chercheras à quitter la vie…

Elle l'éblouit, en lui jetant au visage le rayon bleu de ses yeux
475 grands ouverts, dans un brusque et ferme regard.

– Tu dis ? Quitter… quitter la vie ?

Il posa les mains sur les épaules de Vinca, hocha un front lourd d'expérience :

– Je te connais, chérie. D'ici même, tu as voulu, sans raisons,
480 te laisser glisser en bas, il y a six semaines, et maintenant…

La stupeur, tandis qu'il parlait, maintenait hauts, au-dessus des yeux de Vinca, les arcs de ses sourcils. Elle secoua, d'un tour d'épaules, les mains de Philippe.

– Maintenant ?… Mourir ?… Pourquoi ?…

485 Il rougit à ce dernier mot, et Vinca compta sa rougeur pour une réponse.

– À cause d'elle ? s'écria Vinca. Tu es fou ?

Phil arracha, d'agacement, les touffes du maigre gazon et rajeunit soudain de quatre ou cinq ans.

490 – On est toujours fou, quand on cherche à savoir ce que veut une femme, et quand on s'imagine qu'elle sait ce qu'elle veut !

– Mais je le sais, Phil. Je le sais très bien. Et aussi ce que je ne veux pas ! Tu peux être tranquille, je ne me tuerai pas à cause de cette femme-là ! Il y a six semaines… Oui, je me laissais glisser,
495 là, jusqu'en bas, et je t'entraînais. Mais ce jour-là, c'était pour toi, que je mourais, et pour moi… pour moi…

Elle ferma les yeux, renversa la tête, caressa de la voix ses dernières paroles, et ressembla, avec une fidélité étrange, à toutes les femmes qui renversent le col[1] et ferment les yeux sous un excès de
500 bonheur. Pour la première fois, Philippe reconnut en Vinca la sœur de celle qui, les yeux clos et la tête abandonnée, semblait se séparer de lui, dans les instants mêmes où il la tenait le mieux embrassée…

– Vinca ! Voyons, Vinca !

---

1. *Col* : cou.

Elle rouvrit les yeux, se redressa.

505   – Quoi ?

I ose touch

– Eh, ne t'en va pas comme ça ! En voilà une figure de pâmoison !

– Je ne me pâme pas. C'est bon pour toi, le flacon de sels, l'eau de Cologne et tout le tremblement !

De temps en temps, la férocité enfantine se glissait entre eux,
510   miséricordieuse [1]. Ils y puisaient des forces, s'y retrempaient dans une lucidité anachronique [2], puis se rejetaient vers la folie de leurs aînés…

– Je m'en vais, dit Philippe. Tu me fais beaucoup de peine.

Vinca rit, d'un rire saccadé et déplaisant, comme n'importe
515   quelle femme blessée.

– Charmant ! c'est toi, maintenant, à qui on fait de la peine, n'est-ce pas ?

– Mais certainement.

Elle fit un cri d'oiseau irrité, perçant, imprévu, dont Philippe
520   tressaillit.

– Qu'est-ce que tu as ?

Elle s'était appuyée sur ses deux mains ouvertes, presque à quatre pattes, comme un animal. Il la vit soudain effrénée, empourprée de courroux. Ses deux panneaux de cheveux ten-
525   daient à se rejoindre sur sa figure penchée, et ne laissaient place qu'à sa bouche rouge et sèche, à son nez court élargi par un souffle coléreux, à ses deux yeux d'un bleu de flamme.

– Tais-toi, Phil ! Tais-toi ! Je te ferais du mal ! Tu te plains, tu parles de ta peine, toi qui m'as trompée, toi le menteur, le men-
530   teur, toi qui m'as délaissée pour une autre femme ! Tu n'as ni honte, ni bon sens, ni pitié ! Tu ne m'as amenée ici que pour me raconter, à moi, à moi, ce que tu as fait avec l'autre femme ! Dis le contraire ? Dis le contraire ? Hein, dis ?

---

1. Miséricordieux : qui exprime la compassion.
2. Anachronique : d'un autre âge.

Elle criait, à l'aise dans sa fureur féminine comme un pétrel [1] sur
535 une rafale. Elle retomba assise, ses mains tâtonnantes trouvèrent un
fragment de rocher qu'elle lança au loin dans la mer, avec une
force qui confondit Philippe.

– Tais-toi, Vinca…

– Non ! je ne me tairai pas ! D'abord nous sommes tout seuls,
540 et puis je veux crier ! Il y a de quoi crier, je pense ? Tu m'as amenée ici parce que tu voulais raconter, repasser tout ce que tu as
fait avec elle, pour le plaisir de t'entendre, d'entendre des mots…
de parler d'elle, de dire son nom, hein, son nom, peut-être…

Elle le frappa soudain au visage d'un poing si imprévu et si
545 garçonnier qu'il faillit tomber sur elle et se battre de bon cœur.
Les paroles qu'elle venait de vociférer le retinrent et sa masculine
et foncière décence recula devant ce que Vinca comprenait et faisait comprendre sans détours.

« Elle pense, elle croit au plaisir que j'aurais à lui raconter…
550 Oh ! et c'est Vinca, Vinca qui imagine ces choses-là… »

Elle se tut un moment, et toussa, rouge jusqu'à la naissance
de la gorge. Deux petites larmes glissèrent de ses yeux, mais elle
n'était pas près encore de la douceur et du silence des larmes.

« Je n'ai donc jamais su ce qu'elle pensait ? songea Philippe.
555 Toutes ses paroles sont aussi surprenantes que cette force que je
lui ai vue souvent, quand elle nage, quand elle saute, quand elle
lance des cailloux… »

Il se méfiait des mouvements de Vinca et ne la quittait pas de
l'œil. La couleur rayonnante de son teint, de ses yeux, la précision
560 de sa forme mince, le pli tendu de sa robe blanche sur ses longues
jambes, reléguaient à un plan lointain la souffrance presque suave
qui l'avait couché, immobile, sur l'herbe…

Il profita de la trêve, voulut montrer un sang-froid supérieur.

– Je ne t'ai pas battue, Vinca. Tes paroles le méritaient plus que
565 ton geste. Mais je n'ai pas voulu te battre. Ç'aurait été la première
fois que je me serais laissé aller à…

---

1. **Pétrel** : oiseau marin migrateur, palmipède, qui vole au ras de l'eau.

– Naturellement, interrompit-elle d'une voix enrouée. Tu en battras une autre avant moi. Moi, je ne serai la première en rien !

Cette voracité dans la jalousie le rassura, il faillit sourire, mais 570 le vindicatif regard de Vinca lui déconseilla la plaisanterie. Ils demeurèrent silencieux, virent le soleil descendre derrière le Meinga et une tache rose, incurvée comme un pétale, danser à la crête de toutes les vagues.

Les clarines des vaches tintèrent en haut de la falaise. À la 575 place où le fatal petit garçon chantait tout à l'heure, une figure cornue de chèvre noire parut, et bêla.

– Vinca chérie… soupira Philippe.

Elle le regarda avec indignation.

– C'est moi que tu oses appeler comme ça ?

580 Il inclina la tête.

– Vinca chérie… soupira-t-il.

Elle se mordit les lèvres, rassembla ses forces contre l'assaut des larmes qu'elle sentait monter, serrer sa gorge, gonfler ses yeux, et ne se risqua pas à parler. Philippe, appuyé de la nuque 585 au rocher brodé d'une mousse rase et violâtre, contemplait la mer et ne la voyait peut-être pas. Parce qu'il était las, parce qu'il faisait beau, parce que l'heure, son parfum et sa mélancolie l'exigeaient, il soupirait : « Vinca chérie… » comme il eût soupiré : « Ah ! quel bonheur !… » ou bien : « Que je souffre… » Sa nouvelle 590 douleur exhalait les mots les plus anciens, les premiers mots nés sur ses lèvres ; ainsi le soldat vieilli, s'il tombe en combattant, gémit le nom d'une mère qu'il a oubliée.

– Tais-toi, méchant, tais-toi… Qu'est-ce que tu m'as fait… Qu'est-ce que tu m'as fait…

595 Elle lui montrait ses larmes qui roulaient sans laisser de sillons sur le velours de ses joues. Le soleil jouait dans ses yeux débordants, et élargissait le bleu de ses prunelles. Une amante, de tout blessée, assez magnifique pour tout pardonner, resplendissait dans le haut du visage de Vinca ; une petite fille désolée, un peu comique, 600 grimaçait gentiment par sa bouche et son menton tremblant.

Sans quitter l'appui de son dur oreiller, Philippe tourna vers elle ses yeux noirs, adoucis par la langueur de son propre appel. La colère avait exprimé, de cette fillette surchauffée, une odeur de femme blonde, apparentée à la fleur de bugrane [1] rose, au blé vert 605 écrasé, une allègre et mordante odeur qui complétait cette idée de vigueur imposée à Philippe par tous les gestes de Vinca. Pourtant elle pleurait, et balbutiait : « Qu'est-ce que tu m'as fait... » Elle voulut arrêter le cours de ses larmes, et mordit une de ses mains où parut, pourpre, le demi-cercle de ses jeunes dents.

610 — Sauvage..., dit Phil à demi-voix, avec la considération caressante qu'il eût dédiée à une inconnue.

— Plus que tu ne crois... dit-elle sur le même ton.

— Mais ne me le dis pas ! s'écria Philippe. Tes moindres paroles ont l'air d'une menace !

615 — Avant, tu aurais dit une promesse, Phil !

— C'est la même chose ! protesta-t-il véhément.

— Pourquoi ?

— Parce que.

Il mordilla une herbe, décidé à la prudence et d'ailleurs inca-620 pable de préciser par des paroles les sourdes revendications de liberté mentale, de droit au délassant et courtois mensonge, que son âge et la première aventure dilataient en lui.

— Je me demande, plus tard, comment tu me traiteras, Phil...

Elle semblait consternée, et vide d'arguments. Mais Philippe 625 savait comment elle pouvait rebondir, et récupérer magiquement toute sa force.

— Ne te le demande pas, pria-t-il brièvement.

« Plus tard... plus tard... Oui, la mainmise sur l'avenir aussi, Elle a de la chance, de pouvoir penser à la couleur de l'avenir, en 630 ce moment ! C'est son besoin d'enchaîner qui parle... Elle en est loin, de l'envie de mourir... »

---

1. *Bugrane* : plante épineuse, à fleurs jaunes ou roses.

Il méconnaissait, hargneux, la mission de durer, dévolue à toutes les espèces femelles, et l'instinct auguste de s'installer dans le malheur en l'exploitant comme une mine de matériaux précieux. Le soir et la fatigue aidant, il fut excédé de cette enfant combative, qui luttait d'une manière primitive pour le salut d'un couple. Il s'arracha, en pensée, à sa présence, courut à la poursuite d'une voiture roulant sur son nuage horizontal de poussière, atteignit, comme un mendiant de la route, la vitre où s'appuyait une tête assoupie sous son turban de voiles blancs… Il revit tous les détails, les cils noircis, le signe noir près de la lèvre, la narine palpitante et serrée, des traits qu'il n'avait jamais contemplés que de tout près, ah ! de si près… Égaré, effrayé, il se leva, plein de la peur de souffrir, et de la surprise d'avoir, pendant qu'il causait avec Vinca, cessé de souffrir…

– Vinca !

– Qu'est-ce que tu as ?

– Je… je crois que j'ai mal…

Un bras irrésistible empoigna le sien, l'obligea à tomber au plus sûr du nid escarpé, car il chancelait près du bord. Abattu, il ne lutta pas, et dit seulement :

– Ce serait peut-être le plus simple, pourtant…

– Ah ! la la !…

Elle ne cherchait pas de paroles après ce cri trivial [1]. Elle couchait contre elle le corps du garçon affaibli, et serrait une tête brune sur ses seins qu'un peu de chair douce, toute neuve, arrondissait. Philippe s'abandonnait à une lâche et récente habitude de passivité, acquise dans des bras moelleux ; mais s'il chercha, avec une amertume à peine supportable, le parfum résineux, la gorge accessible, du moins il gémissait sans effort le nom de : « Vinca chérie… Vinca chérie… »

Elle accepta de le bercer, selon ce rythme qui balance, bras refermés et genoux joints, toutes les créatures féminines de toute

---

1. *Trivial* : plat, commun.

la terre. Elle le maudissait d'être si malheureux et si choyé. Elle
665 lui souhaitait de perdre la raison et d'oublier, dans le délire, un
nom de femme. Elle l'apostrophait en elle. « Va, va... Tu appren-
dras à me connaître... Je t'en ferai voir... » mais en même temps
elle écartait, du front de Philippe, un cheveu noir, comme une
fêlure fine barrant un marbre. Elle savoura le poids, le contact
670 nouveaux d'un corps de jeune homme qu'hier encore elle portait,
en riant et en courant, à califourchon sur ses reins. Lorsque
Philippe, entrouvrant les yeux, quêta son regard en la suppliant
de lui rendre ce qu'il avait perdu, elle frappa de sa main libre le
sable à côté d'elle, et s'écria, au fond d'elle-même : « Ah ! pour-
675 quoi es-tu né ! » comme une héroïne du drame éternel.

Et cependant, elle surveillait, d'un œil agile, les abords de la
villa lointaine ; elle mesurait en marin la chute du soleil : « Il est
plus de six heures » ; elle notait le passage, entre la plage et la maison, de Lisette pareille à un pigeon blanc dans sa robe voletante.
680 Elle songeait : « Nous ne devons pas rester ici plus d'un quart
d'heure, ou bien on nous cherchera. Il faut que je me lave bien les
yeux... » puis elle réintégrait, âme et corps, l'amour, la jalousie, la
fureur lente à se calmer, les gîtes mentaux aussi rudes et aussi ori-
ginels que le nid dans le rocher...

685 — Lève-toi, dit-elle tout bas.

Philippe se plaignit, s'alourdit. Elle devina qu'il se servait à
présent de la plainte, de l'inertie[1], pour échapper aux reproches
et aux questions. Ses bras, tout à l'heure presque maternels,
secouèrent la nuque ployée, le torse chaud, et son fardeau, hors
690 de l'étreinte, redevint le garçon menteur, mal connu, étranger,
capable de la trahir, que des mains de femme avaient poli et
changé...

« L'attacher, comme la chèvre noire, au bout de deux mètres
de corde... L'enfermer, dans une chambre, dans ma chambre...
695 Vivre dans un pays où il n'y aurait pas d'autre femme que moi...

---

1. *Inertie* : paresse, indolence.

Ou bien que je sois tellement belle, tellement belle... Ou bien qu'il soit juste assez malade pour que je le soigne... » Les ombres mouvantes de ses pensées couraient sur son visage.

– Qu'est-ce que tu vas faire ? demanda Philippe.

700 Elle contempla, désabusée, les traits qui seraient sans doute, plus tard, ceux d'un homme brun assez banalement agréable, mais que la dix-septième année, pour un peu de temps encore, retenait en deçà de la virilité. Elle s'étonnait qu'un stigmate affreux, et révélateur, n'eût point marqué ce menton suave, ce nez
705 régulier apte à exprimer la colère : « Mais ses yeux bruns, trop doux, et leur blanc bleu pâle, ah ! comme je vois qu'une femme s'y est mirée... » Elle hocha la tête :

– Ce que je vais faire ? m'apprêter pour dîner. Et toi aussi.

– Et c'est tout ?

710 Debout, elle tirait sa robe sous sa ceinture de soie élastique et surveillait diligemment [1] Philippe, la maison, la mer qui s'endormait et refusait, grise, refroidie, de participer à l'éclat du couchant.

– C'est tout... à moins que toi-même tu ne fasses quelque chose.

715 – Qu'appelles-tu quelque chose ?

– Mais... partir, aller retrouver cette dame... Décider que c'est elle que tu aimes... L'annoncer à tes parents...

Elle parlait d'un air dur et puéril, en tirant machinalement sur sa robe comme si elle eût voulu écraser ses seins.

720 « Elle a des seins en forme de coquilles de patelles [2]... ou encore en forme de petites montagnes coniques sur les peintures japonaises... »

Il rougit parce qu'il avait prononcé distinctement en lui-même le mot « seins », et s'accusa de manquer au respect.

725 – Je ne commettrai aucune de ces sottises, Vinca, dit-il précipitamment. Mais je voudrais bien savoir ce que tu ferais, toi, si j'étais capable de tout ça, ou de la moitié seulement ?

---

1. Diligemment : avec soin et rapidité.

2. Patelles : mollusques à coquille conique, qui vivent fixés aux rochers.

Elle ouvrit grands ses yeux, plus bleus d'avoir pleuré, où il ne put rien lire.

730   – Moi ? Je ne modifierais pas ma façon de vivre.

Elle mentait et le bravait, mais sous le mensonge du regard il voyait, il tâtait la ténacité, la constance sans repos ni scrupules qui préserve l'amante et l'attache à son amant et à la vie, dès qu'elle s'est découvert une rivale.

735   – Tu te fais plus raisonnable que tu n'es, Vinca.

– Et toi plus précieux. Est-ce que tu n'as pas cru que je voudrais mourir, tout à l'heure ? Mourir, pour une aventure de Monsieur !

Elle le désigna, de la main ouverte, comme font les enfants qui
740 se chamaillent.

– Une aventure… répéta Philippe, blessé et flatté. Eh dame ! tous les garçons de mon âge…

– Il faudra donc que je m'habitue, interrompit Vinca, à ce que tu ne sois, en effet, que «tous les garçons» de ton âge.

745   – Vinca chérie, je te jure qu'une jeune fille ne peut pas parler, ne doit pas entendre…

Il baissa les yeux, se mordit la lèvre avec suffisance, et ajouta :

– Tu peux me croire.

Il offrit la main à Vinca pour qu'elle enjambât les longs bancs
750 schisteux[1] couchés à l'entrée de leur abri, puis les bas bouquets d'ajoncs qui les séparaient du sentier de douane. À trois cents mètres de là, sur le pré de mer, Lisette en blanc tournait comme un volubilis blanc, et ses petits bras bruns gesticulaient, télégraphiant : «Venez ! Vous êtes en retard !» Vinca leva les bras, répon-
755 dit, mais elle se retourna encore vers Philippe avant de commencer à descendre.

– Phil, justement je ne peux pas te croire. Ou bien toute notre existence, jusqu'à aujourd'hui, n'aurait été qu'une de ces petites

---

1. Bancs schisteux : bancs naturels formés par le schiste, une roche qui a une structure feuilletée.

histoires fades comme il y en a dans les livres que nous n'aimons
760 pas. Tu me dis : « un jeune homme… une jeune fille… » en parlant
de nous. Tu dis : « une aventure comme tous les garçons de mon
âge… » Mais, Phil, tu es quand même en faute… Tu vois, je te
parle tranquillement…

Il l'écoutait, un peu impatient, et perplexe car il cherchait, à
765 cet instant même, les tisons[1] et les épines éparpillés de son grand
chagrin, et n'arrivait pas à les rassembler. L'extrême embarras de
Vinca, visible sous trop d'assurance, allait encore les disperser, et
le vent du soir, en outre, se levait avec une brusquerie mal-
veillante…

770 — Allons ! Quoi encore ?

— Tu es quand même en faute, Phil, puisque c'est à moi que tu
aurais dû demander…

Il était sans désirs, las, avide d'être seul, et pourtant plein d'appréhension au seuil de la longue nuit. Elle avait escompté le cri,
775 l'indignation, ou bien le trouble impur : il la mesura de la tête aux
pieds, entre ses cils rapprochés, et dit :

— Pauvre petite !… « Demander »… Bon. Et accorder quoi ?

Il la vit offensée et muette, la traînée pourpre de son sang vif,
monté à ses joues, descendit sous la peau de sa gorge brune. Il la
780 prit d'un bras par les épaules, et marcha serré contre elle dans le
sentier.

— Vinca chérie, tu vois les bêtises que tu dis ! Des bêtises de
jeune fille ignorante, Dieu merci !

— Remercie-le d'autre chose, Phil. Est-ce que tu ne crois pas
785 que j'en sais autant que la première femme qu'il a créée ?

Elle ne s'écartait pas de lui, le regardait de côté, sans tourner
la tête, puis regardait devant elle le chemin difficile, puis regardait
de nouveau Philippe, dont l'attention s'attachait à cet angle d'œil
que le mouvement de la prunelle faisait alternativement bleu de
790 pervenche et blanc comme l'intérieur nacré d'une coquille.

---

1. **Tisons** : restes de morceaux de bois, de bûches dont une partie a brûlé.

– Dis, Phil ? Tu ne le crois pas, que j'en sais autant que...

– Chut, Vinca ! tu ne sais pas. Tu ne sais rien.

Il suspendit leurs pas, au tournant du sentier. Tout azur avait fui de la mer, coulée dans un métal solide et gris, presque sans plis, et le soleil éteint laissait sur l'horizon une longue trace d'un rouge triste, au-dessus de laquelle régnait une zone pâle, verte, plus claire que l'aurore, où trempait l'humide étoile qui se lève la première. Philippe serra son bras autour des épaules de Vinca, étendit l'autre bras vers la mer.

– Chut, Vinca ! Tu ne sais rien. C'est... un tel secret... Si grand...

– Je suis grande.

– Non, tu ne comprends pas ce que je veux te dire...

– Si, très bien. Tu fais comme le petit garçon des Jalon, qui est enfant de chœur le dimanche. Il dit, pour se donner de l'importance : « Le latin, ah ! mais, vous savez, le latin, c'est très difficile ! » mais il ne sait pas le latin.

Elle rit tout à coup, la tête levée, et Philippe n'aima guère qu'elle passât, en si peu d'instants et avec tant de naturel, du drame au rire, et de la consternation à l'ironie. Peut-être parce que la nuit venait, il commençait à revendiquer un calme tout labouré de feu voluptueux, un silence pendant lequel le sang, bruissant aux oreilles, imite la pluie pressée ; il aspirait à la crainte, au joug presque muet et plein de périls, qui l'avait courbé sur un seuil que d'autres adolescents franchissent en titubant et en blasphémant.

– Tais-toi, va. Ne fais pas la méchante et la grossière. Quand tu sauras...

– Mais je ne demande qu'à savoir !

Elle parlait faux, et riait d'un rire de comédienne maladroite pour cacher que tout, en elle, grelottait, et qu'elle était aussi triste que toutes les enfants dédaignées qui cherchèrent, dans le pire risque, une chance de souffrir un peu plus, et encore un peu plus, et toujours davantage, jusqu'à la récompense...

– Je t'en prie, Vinca ! Tu me fais une peine... C'est si peu toi, ce genre-là !...

825   Il laissa retomber le bras qu'il appuyait sur l'épaule de Vinca, et descendit plus vite vers la villa. Elle l'accompagnait, sautant, quand le sentier se rétrécissait, par-dessus les touffes d'herbes coupantes imprégnées déjà de rosée ; elle préparait, en marchant, un visage destiné aux Ombres, tout en répétant à mi-voix, pour Philippe :

830   – Si peu moi ?… Si peu moi ?… Voilà pourtant une chose que tu ne sais pas, Phil, toi qui sais tant de choses…

    Ils furent tous deux, à table, dignes d'eux-mêmes et de leurs secrets. Philippe rit de ses «vapeurs», exigea des soins, attira sur lui l'attention parce qu'il craignait qu'on ne remarquât les yeux
835 éclatants, cernés d'un rose meurtri, que Vinca abritait sous le chaume soyeux, coupé en frange épaisse au-dessus des sourcils. Vinca de son côté faisait l'enfant ; elle réclama du champagne dès le potage : «C'est pour remonter Phil, maman !» et vida sa coupe de Pommery sans respirer.

840   – Vinca ! blâma une Ombre…

    – Laissez donc, dit une autre Ombre indulgente, quel mal voulez-vous que ça lui fasse ?

    Vers la fin du dîner, Vinca vit le regard de Philippe chercher, sur la mer nocturne, le Meinga invisible, la route blanche fondue
845 dans la nuit, les genévriers pétrifiés sous la poussière de la route…

    – Lisette, cria-t-elle, pince Phil qui est en train de s'endormir !

    – Elle m'a pincé au sang ! geignit Philippe. Petite gale ! [1] Elle m'a fait venir les larmes !

    – C'est vrai, c'est vrai ! dit Vinca d'une voix perçante. Elle t'a
850 fait venir les larmes !

    Elle riait, pendant qu'il frottait son bras sous la veste de flanelle blanche ; mais il voyait aux joues de Vinca, dans ses yeux, la flamme du vin mousseux et une sorte de folie prudente qui ne le rassurait pas.

---

1. *Petite gale !* : petite peste, petite teigne ! (juron).

855   Une sirène, un peu plus tard, beugla très loin, sur la houle noire, et quelque Ombre s'arrêta de remuer, sur la table à jouer, le ventre pointillé des dominos.

– Brouillard en mer…

– Le phare de Granville balayait dans du coton, tout à l'heure,
860 dit une autre Ombre.

Mais la voix de la sirène venait d'évoquer la trompe mugissante d'une automobile fuyant sur la route côtière, et Philippe bondit sur ses pieds.

– Ça le reprend ! railla Vinca.

865   Habile à se cacher, elle tournait le dos aux Ombres et son regard suivait Philippe comme une lamentation…

– Sûrement non, dit Philippe. Mais je n'en peux plus, et je demande la permission d'aller me coucher… Bonsoir, maman, bonsoir, père… Bonsoir, madame Ferret… Bonsoir…

870 – On te tient quitte de tes litanies[1], ce soir, mon garçon.

– Si on te montait une tasse de camomille légère ?

– N'oublie pas d'ouvrir ta fenêtre grande !

– Vinca, tu as porté chez Phil ton flacon de sels ?

Les voix des Ombres amies le suivirent jusqu'à la porte, en
875 guirlande tutélaire[2], un peu fanée, au doux parfum fade de simples[3] séchés. Il échangea avec Vinca le baiser quotidien qui tombait toujours à côté de la joue tendue et glissait vers l'oreille, sur le cou, ou sur le coin duveté de la bouche. Puis la porte se referma, la propice guirlande se rompit net, et il se trouva seul.

880   Sa chambre, béante sur la nuit sans lune, l'accueillit mal. Debout sous l'ampoule ensachée[4] de mousseline jaune, il respira, hostile et délicat, l'odeur que Vinca nommait «l'odeur de gar-

---

1. *Litanies* : longues énumérations. Ici, il s'agit des formules de politesse répétées avant d'aller se coucher.
2. *Tutélaire* : protectrice.
3. *Simples* : plantes médicinales.
4. *Ensachée* : mise dans un sachet.

çon» : livres classiques, valise de cuir préparée pour le départ du surlendemain, bitume des semelles de caoutchouc, savon fin et alcool parfumé.

Il ne souffrait pas particulièrement. Mais il éprouvait ce sentiment d'exil et de fatigue totale qui n'exige plus d'autre remède que l'inconscience. Il se coucha rapidement, éteignit sa lampe et chercha d'instinct la place, contre le mur, où ses peines de petit garçon, ses fièvres de croissance, avaient trouvé la nuit protectrice, l'abri du drap mieux bordé, du papier fleuri contre lequel déferlaient les songes, apportés par la pleine lune, les grandes marées ou les orages de juillet. Il s'endormit aussitôt ; mais pour être assailli par les plus intolérables précisions du rêve, et les plus traditionnelles. Ici Camille Dalleray portait le visage de Vinca ; là Vinca, autoritaire, régnait sur lui avec une froideur impure et prestidigitatrice. Mais ni Camille Dalleray, ni Vinca, dans son rêve, ne voulaient se souvenir que Philippe n'était qu'un petit garçon tendre, pressé seulement de poser sa tête sur une épaule, un petit garçon de dix ans...

Il s'éveilla, vit que sa montre marquait minuit moins le quart et que sa nuit gâchée se consumerait, fiévreuse, au centre d'une maison endormie ; il chaussa ses sandales, serra sur ses reins la cordelière de son peignoir de bains et descendit.

La lune en son premier quartier rasait la falaise. Courbe et rougeâtre, elle ne versait pas de lumière au paysage, et le phare tournant du phare de Granville semblait, à chaque feu rouge, à chaque feu vert, l'éteindre. Mais la nuit, à cause d'elle, ne submergeait pas les masses de verdure, et le crépi blanc de la villa, entre les poutres apparentes, semblait faiblement phosphorescent. Philippe laissa ouverte la porte vitrée, et entra dans cette nuit douce comme en un refuge sûr et triste. Il s'assit à même la terrasse rebelle à l'humidité, foulée et tassée par seize étés de vacances, d'où la pelle de Lisette exhumait parfois, antique et oxydé, un fragment de jouet enterré depuis dix, douze, quinze années...

Il se sentait désolé, sage, à l'écart de tous. «Devenir un homme, c'est peut-être cela», songea-t-il. L'inconscient besoin de dédier sa tristesse et sa sagesse le tourmentait vainement, comme
920 tous les honnêtes petits athées à qui l'éducation laïque n'a pas donné Dieu pour spectateur.

– C'est toi, Phil ?

La voix descendit jusqu'à lui comme une feuille sur le vent. Il se leva, marcha sans bruit jusqu'à la fenêtre à balcon de bois.
925 – Oui, souffla-t-il. Tu ne dors donc pas ?

– Naturellement non. Je descends.

Elle le rejoignit sans qu'il l'eût entendue. Il ne vit venir à lui qu'un visage clair, suspendu au-dessus d'une silhouette confondue avec la nuance même de la nuit.
930 – Tu vas avoir froid.

– Non. J'ai mis mon kimono bleu. D'ailleurs il fait doux. Ne restons pas là.

– Pourquoi ne dors-tu pas ?

– Je n'ai pas sommeil. Je pense. Ne restons pas là. Nous
935 réveillerions quelqu'un.

– Je ne veux pas que tu descendes à la plage à cette heure-ci, tu t'enrhumeras.

– Ce n'est guère mon genre, de m'enrhumer. Mais je ne tiens pas du tout à la plage, tu sais. On n'a qu'à se promener un peu
940 en remontant, au contraire.

Elle parlait d'une voix insaisissable et pourtant Philippe ne perdait pas une de ses paroles. L'absence de timbre lui causait un plaisir infini. Ce n'était plus la voix de Vinca, ce n'était la voix d'aucune femme. Une petite présence, presque invisible, au ton
945 familier, une petite présence, sans acrimonie [1], sans dessein sauf la promenade, sauf la veille tranquille…

Il buta contre un obstacle et Vinca le retint par la main.

---

1. Acrimonie : mauvaise humeur qui se manifeste par des propos blessants. Aigreur, hargne.

– Ce sont les pots de géraniums, tu ne les vois donc pas ?

– Non.

950 – Moi non plus. Mais je les vois comme les aveugles, je sais qu'ils sont là… Fais attention qu'il doit y avoir un empotoir par terre, à côté.

– Comment le sais-tu ?

– J'ai dans l'idée qu'il est là. Et ça ferait du bruit comme une 955 pelle à charbon… Boum !… qu'est-ce que je te disais ?

Ce chuchotement malicieux charmait Philippe. Il eût pleuré de détente et de plaisir, à trouver Vinca si douce, toute pareille dans l'ombre à une Vinca d'autrefois qui n'avait que douze ans et qui chuchotait ainsi, penchée sur le sable mouillé où la pleine 960 lune dansait sur le ventre des poissons, pendant les pêches de minuit…

– Tu te rappelles, Vinca, la nuit où nous avons pêché, à minuit, le plus gros carrelet[1]…

– Et ta bronchite. Ça nous a valu une bonne défense de pêcher 965 la nuit… Écoute !… Tu as refermé la porte vitrée ?

– Non…

– Vois-tu que le vent se lève et que la porte tape ? Ah ! si je ne pensais pas à tout…

Elle disparut, revint comme un sylphe[2], sur des pieds si légers 970 que Phil devina son retour au parfum que le vent portait devant elle…

– Qu'est-ce que tu sens donc, Vinca ? Comme tu es parfumée !

– Parle moins haut. J'avais chaud, je me suis fait une friction avant de descendre.

975 Il ne répliqua rien, mais son attention réveillée enregistra, en effet, combien Vinca pensait à tout.

– Passe, Phil, je tiens la porte. Ne marche pas dans les salades.

Dans l'encens maraîcher qui montait de la terre travaillée, on pouvait oublier le voisinage de la mer. Une basse muraille de

---

1. *Carrelet* : poisson plat, de forme quadrangulaire.

2. *Sylphe* : génie de l'air dans les mythologies celtique, gauloise et germanique.

980 thym compact râpa les jambes nues de Philippe et il tâta au passage les museaux de velours des mufliers.

– Tu sais, Vinca, qu'au potager on n'entend pas les bruits qui viennent de la maison, à cause du bouquet de bois ?

– Mais il n'y a pas de bruit dans la maison, Phil. Et nous ne
985 faisons pas de mal.

Elle venait de ramasser une petite poire tombée, mûrie précocement et musquée[1] par le ver intérieur.

Il l'entendit mordre dans le fruit, puis le jeter.

– Qu'est-ce que tu fais ? tu manges ?

990 – C'est une des poires jaunes. Mais elle n'était pas assez bonne pour que je te la donne.

Une telle liberté d'esprit ne dissipa pas tout à fait la défiance vague de Philippe. Il trouvait Vinca un peu trop douce, légère et sereine comme un esprit, et il songea soudain à cette gaieté
995 étrange, comme échappée de la tombe, cette gentillesse insensée qui tinte dans le rire des religieuses. «Je voudrais voir son visage», se dit-il. Et il frissonna à imaginer que la voix sans timbre, les paroles de fillette joueuse, pouvaient sortir du masque convulsé, étincelant de sa colère et de ses belles couleurs, qui avait affronté
1000 le sien dans le nid de rochers...

– Vinca, écoute... Rentrons.

– Si tu veux. Encore un moment. Accorde-moi un moment. Je suis bien. Et toi ? Nous sommes bien. Comme c'est facile de vivre, la nuit ! Mais pas dans les chambres. Oh ! je déteste ma chambre
1005 depuis quelques jours. Ici, je n'ai pas peur... Un ver luisant ! Si tard dans la saison ! Non, il ne faut pas le prendre... Bête, qu'est-ce que tu as à tressaillir ! C'est un chat qui a passé, voyons. La nuit, les chats attrapent les mulots...

Il distingua un petit rire, et le bras de Vinca lui serra la taille.
1010 Il tendait l'oreille à tous les souffles, à tous les craquements, séduit, malgré son inquiétude, par ce chuchotement nuancé qui

---

1. *Musquée* : dont la saveur rappelle celle du musc.

ne cessait pas. Loin d'appréhender l'ombre, Vinca s'y guidait comme dans un pays ami et connu, l'expliquait à Philippe, lui faisait les honneurs de minuit et le promenait ainsi qu'un hôte aveugle.

1015

– Vinca chérie, reviens…

Elle jeta un tout petit «oh ! » de crapaud.

– Tu m'as appelée Vinca chérie ! Ah ! pourquoi ne fait-il pas nuit tout le temps ! En ce moment-ci, tu n'es pas le même qui m'a

1020 trompée, je ne suis pas la même qui a eu tant de peine… Ah ! Phil, ne rentrons pas tout de suite, laisse-moi être un peu heureuse, un peu amoureuse, sûre de toi comme je l'étais dans mes rêves, Phil… Phil, tu ne me connais pas.

– Peut-être que non, Vinca chérie…

1025

Ils trébuchèrent sur une sorte de foin dur, qui craqua.

– C'est le sarrasin battu, dit Vinca. Ils l'ont battu au fléau[1] aujourd'hui.

– Comment le sais-tu ?

– Pendant que nous étions à nous disputer, tu n'entendais pas

1030 le battement des deux fléaux ? Moi, je l'entendais. Assieds-toi, Phil.

« Elle, elle l'entendait… Elle était forcenée, elle m'a frappé au visage, elle m'a dit des paroles sans suite ; – mais elle entendait le battement des deux fléaux… »

1035

Involontairement il compara, à cette vigilance de tous les sens féminins, le souvenir d'une autre habileté féminine…

– Ne t'en va pas, Phil ! Je n'ai pas été méchante, je n'ai ni pleuré, ni reproché…

La ronde tête de Vinca, ses cheveux soyeux et égaux roulèrent

1040 sur l'épaule de Philippe et la chaleur d'une joue chauffa sa joue.

– Embrasse-moi, Phil, je t'en prie, je t'en prie…

---

1. *Fléau* : instrument qui sert à battre les céréales, composé de deux bâtons liés au bout par une courroie.

Il l'embrassa, mêlant à son propre plaisir la mauvaise grâce de l'extrême jeunesse qui ne vise à combler que ses propres désirs, et la mémoire trop précise d'un autre baiser, qu'on lui avait pris sans le lui demander. Mais il connut contre ses lèvres la forme de la bouche de Vinca, le goût qu'elle gardait du fruit entamé tout à l'heure, l'empressement que mit cette bouche à s'ouvrir, à découvrir et à prodiguer son secret, – et il chancela dans l'ombre. «J'espère, pensa-t-il, que nous sommes perdus. Oh! soyons vite perdus, puisqu'il le faut, puisqu'elle ne voudra plus, jamais, qu'il en soit autrement… Mon Dieu, que la bouche de Vinca est inévitable et profonde, et savante dès le premier choc… Oh! soyons perdus, vite, vite… »

Mais la possession est un miracle laborieux. Un bras furieux, qu'il n'arrivait pas à dénouer, liait la nuque de Philippe. Il secouait la tête pour s'en délivrer, et Vinca, croyant que Philippe voulait rompre leur baiser, serrait davantage. Il saisit enfin le poignet raidi près de son oreille, et rejeta Vinca sur la couche de sarrasin. Elle gémit brièvement et ne bougea plus, mais lorsqu'il se pencha, honteux, sur elle, elle le reprit et l'étendit contre elle. Là ils eurent une trêve charmante et quasi fraternelle, où chacun eut, pour l'autre, un peu de pitié et l'affabilité[1] la discrétion des amants éprouvés. Philippe tenait sur son bras, renversée, une Vinca invisible, mais sa main libre lissait une peau dont il n'ignorait ni la douceur ni les marques, écrites en relief par la pointe de l'épine et la corne du rocher. Elle essaya de rire un instant, en priant tout bas :

– Laisse ma belle écorchure… Avec ça que c'est doux, déjà, le sarrasin égrené…

Mais il entendait son souffle trembler dans sa voix, et il tremblait aussi. Il retournait sans cesse à ce qu'il connaissait le moins d'elle, sa bouche. Il résolut, pendant qu'ils reprenaient haleine, de se relever d'un bond et de regagner la maison en courant. Mais il fut saisi, en s'écartant de Vinca, d'une crise de dénuement phy-

---

1. *Affabilité* : bienveillance.

sique, d'une horreur de l'air frais et des bras vides, et il revint à elle, avec un élan qu'elle imita et qui mêla leurs genoux. Il trouva alors la force de la nommer « Vinca chérie » avec un accent humble qui la suppliait en même temps de favoriser et d'oublier ce qu'il essayait d'obtenir d'elle. Elle comprit, et ne manifesta plus qu'un mutisme exaspéré, peut-être excédé, une hâte où elle se meurtrit elle-même. Il entendit la courte plainte révoltée, perçut la ruade involontaire, mais le corps qu'il offensait ne se déroba pas, et refusa toute clémence.

Il dormit peu et profondément et se leva avec l'impression que toute la maison était vide. Mais en bas, il vit le gardien et son chien taciturne[1], et ses engins de pêche, et il entendit, au premier étage, la toux quotidienne de son père. Il se dissimula entre la haie de fusains et le mur de la terrasse et épia la fenêtre de Vinca. Une brise active chassait des nuages qui fondaient à son souffle ; en détournant la tête, Phil apercevait les voiles cancalaises couchées sur un flot court et dur. Toutes les fenêtres de la maison dormaient encore.

« Mais elle, est-ce qu'elle dort ? On assure qu'elles pleurent, après. Peut-être que Vinca pleure, à présent. C'est maintenant qu'il faudrait qu'elle se reposât sur mon bras, comme nous faisions sur le sable. Alors, je lui dirais : "Ce n'est pas vrai. Il ne s'est rien passé ! Tu es ma Vinca de toujours. Tu ne m'as pas donné ce plaisir, qui ne fut pas un très grand plaisir. Rien n'est vrai, pas même ce soupir et ce chant commencé, aussitôt suspendu, qui t'ont faite tout à coup lourde et longue comme une morte dans mes bras. Rien n'est vrai. Si, ce soir, je disparais au haut du chemin blanc, vers *Ker-Anna*, si je rentre seul avant l'aurore de demain, je m'en cacherai si bien que tu l'ignoreras… Allons nous promener sur la côte, et emmenons Lisette." »

Il n'imaginait pas qu'un plaisir mal donné, mal reçu est une œuvre perfectible. La noblesse du jeune âge l'entraînait seulement au sauvetage de ce qu'il fallait ne pas laisser périr : quinze années de vie enchantée, de tendresse unique, leurs quinze années de jumeaux amoureux et purs.

---

1. *Taciturne* : sombre, morose.

« Je lui dirai : "Tu penses bien que notre amour, l'amour de Phil-et-Vinca, aboutit ailleurs que là, là, cette couche de sarrasin battu, hérissé de fétus. Il aboutit ailleurs qu'au lit de ta chambre ou de la mienne. C'est évident, c'est sûr. Crois-moi ! Puisqu'une femme que je ne connais pas m'a donné cette joie si grave, dont je palpite encore, loin d'elle, comme le cœur de l'anguille arraché vivant à l'anguille, que ne fera pas, pour nous, notre amour ? C'est évident, c'est sûr... Mais si je me trompais, il ne faut pas que tu saches que je me trompe..."

« Je lui dirai : "C'est un rêve prématuré, un délire, un supplice pendant lequel tu mordais ta main, pauvre petit compagnon, auxiliaire courageux de ma cruelle besogne. C'était pour toi un rêve, peut-être affreux ; pour moi, une humiliation pire, une volupté moins bonne que les surprises de la solitude. Mais rien n'est perdu, si tu oublies, et si moi-même j'efface un souvenir miséricordieusement voilé déjà par la nuit... Non, je n'ai pas serré tes côtes flexibles entre mes genoux ; mais prends-moi à califourchon sur tes reins, et courons sur le sable..." »

Quand il entendit, sur leur tringle, glisser les rideaux, il appela à lui son courage et réussit à ne pas détourner la tête...

Vinca parut, entre les contrevents qu'elle rabattit sur le mur. Elle cligna fortement des paupières à plusieurs reprises, et regarda devant elle avec une fixité passive. Puis elle enfonça ses mains dans l'épaisseur de ses cheveux, et retira, de leur désordre, une brindille sèche... Le sourire et la rougeur éclatèrent ensemble sur son visage qu'elle pencha entre ses cheveux mêlés, cherchant sans doute Philippe. Bien éveillée, elle prit dans la chambre un pichet de terre vernissée, et arrosa avec soin un fuchsia pourpré qui fleurissait le balcon de bois. Elle consulta le ciel frais et bleu, qui promettait le beau temps, et se mit à chanter une chanson qu'elle chantait tous les jours. Entre les fusains, Philippe veillait, comme un homme venu là pour un attentat.

« Elle chante... Il faut bien que j'en croie mes yeux et mes oreilles, elle chante. Et elle vient d'arroser le fuchsia. »

Il ne songea pas un seul instant qu'une telle apparition, conforme à son vœu le plus récent, devait lui rendre la joie. Il ne s'arrêta qu'à sa déception et, trop novice pour l'analyse, s'obstina
1145 à comparer :

« Une nuit, je suis venu m'abattre sous cette fenêtre, parce qu'une révélation venait de tomber, foudroyante, entre mon enfance et ma vie d'aujourd'hui. Elle chante, elle chante... »

Les yeux de Vinca luttaient d'azur avec la mer matinale. Elle
1150 peignait ses cheveux et recommençait, à bouche fermée, sa petite chanson, son vague sourire...

« Elle chante. Elle sera jolie au déjeuner. Elle criera : "Lisette, pince-le au sang !" Ni grand bien, ni grand mal... la voilà indemne... »

1155 Il vit que Vinca, penchée, écrasait sa gorge sur le balcon de bois et se tendait vers la chambre de Philippe.

« Que je paraisse à la fenêtre voisine, que j'enjambe la balustrade pour la rejoindre et elle me jettera ses bras au cou...

« Ô toi que j'appelais "mon maître", pourquoi m'as-tu semblé
1160 plus émerveillée, quelquefois, que cette petite fille neuve, qui a l'air si naturel ? Tu es partie sans m'avoir tout dit. Si tu n'as tenu à moi que par l'orgueil des donateurs, tu aurais pitié de moi, pour la première fois, aujourd'hui... »

De la fenêtre vide venait un fredon faible et heureux, qui ne le
1165 toucha pas. Il ne songea pas non plus que dans quelques semaines l'enfant qui chantait pouvait pleurer, effarée, condamnée, à la même fenêtre. Il cacha son visage au creux de son bras accoudé et contempla sa propre petitesse, sa chute, sa bénignité[1].

« Ni héros, ni bourreau... Un peu de douleur, un peu de plaisir...
1170 Je ne lui aurai donné que cela... que cela... »

---

1. *Bénignité* : ici, le mot désigne à la fois un caractère doux, bienveillant, mais aussi quelque chose qui n'a qu'une faible importance. Voir aussi note p. 73.

DOSSIER

Les amours adolescentes

Longus, *Daphnis et Chloé* (ɪɪᵉ-ɪɪɪᵉ siècle ap. J.-C.)

Les *Pastorales de Daphnis et Chloé* sont l'œuvre de Longus, auteur grec qui vécut à la fin du ɪɪᵉ siècle ap. J.-C. Elles appartiennent au genre du roman pastoral. Elles furent traduites en français par Jacques Amyot au xvɪᵉ siècle puis par Paul-Louis Courier au début du xɪxᵉ siècle. C'est cette dernière traduction que nous reproduisons ci-dessous.

Daphnis et Chloé, deux enfants abandonnés, sont recueillis à quelques années de distance par deux familles d'agriculteurs de l'île de Lesbos [1], qui en font des bergers. Les deux adolescents grandissent ensemble au rythme des saisons et tombent amoureux l'un de l'autre. Leur amour surmonte de nombreux obstacles : la venue de pirates, une expédition de gens de Mytilène [2] qui enlèvent Chloé...

Un jour, Lycénion, une femme mariée plus âgée que les deux jeunes gens, décide de faire l'éducation amoureuse de Daphnis.

[...] Le lendemain, feignant d'aller voir sa voisine qui travailloit d'enfant [3], Lycénion vient droit au chêne sous lequel étoit Daphnis avec Chloé, et contrefaisant la marrie [4] troublée :

« Hélas ! mon ami, dit-elle, Daphnis, je te prie, aide-moi. De mes vingt oisons [5], voilà un aigle qui m'en emporte le plus beau. Mais parce qu'il est trop pesant, l'aigle ne l'a pu enlever jusque sur cette roche là-haut, où est son aire, ains [6] est allé cheoir avec au fond du vallon, dedans ce bois ici : et pour ce, je te prie, mon Daphnis, viens-y

---

1. *Lesbos* : une des grandes îles grecques proches de la côte turque.

2. *Mytilène* : ville de la côte est de l'île de Lesbos.

3. *Qui travailloit d'enfant* : qui commençait à sentir les douleurs qui précèdent l'accouchement.

4. *La marrie* : la personne contrariée, fâchée.

5. *Oisons* : petits de l'oie.

6. *Ains* : c'est pourquoi.

avec moi, car toute seule j'ai peur, et m'aide à le recourir[1]. Ne veuille souffrir que mon compte demeure imparfait. À l'aventure pourras-tu bien tuer l'aigle même, qui ainsi ne ravira plus vos agneaux ni vos chevreaux ; et Chloé ce temps pendant gardera vos deux troupeaux. Tes chèvres la connoissent aussi bien comme toi ; car vous êtes toujours ensemble.

Daphnis, ne se doutant de rien, se leva incontinent[2], prit sa houlette[3] en sa main, et s'en fut avec Lycénion. Elle le mena loin de Chloé, dans le plus épais du bois, près d'une fontaine, où l'ayant fait seoir[4] : « Tu aimes, lui dit-elle, Daphnis, tu aimes la Chloé. Les Nymphes[5] me l'ont dit cette nuit. Elles me sont venues, ces Nymphes, conter en dormant les pleurs que tu faisois hier, et si m'ont commandé que je t'ôtasse de cette peine, en t'apprenant l'œuvre d'amour, qui n'est pas seulement baiser et embrasser, ni faire comme les béliers et bouquins[6] ; c'est bien autre chose, et bien plus plaisante que tout cela. Par quoi, si tu veux être quitte du déplaisir que tu en as, et trouver l'aise que tu y cherches, ne fais seulement que te donner à moi, apprenti joyeux et gaillard, et moi, pour l'amour des Nymphes, je te montrerai ce qui en est. »

Daphnis perdit toute contenance, tant il fut aise, comme un pauvre garçon de village jeune et amoureux. Si[7] se met à genoux devant Lycénion, la priant à mains jointes de tôt lui montrer ce doux métier, afin qu'il pût faire à Chloé ce qu'il désiroit ; et comme si c'eût été quelque grand et merveilleux secret, lui promit un chevreau de lait, des fromages frais, de la crème, et plutôt la chèvre avec. Adonc[8] le voyant Lycénion plus naïf et plus simple encore qu'elle n'avoit ima-

---

1. *Recourir* : secourir.

2. *Incontinent* : sans attendre.

3. *Houlette* : bâton de berger.

4. *Seoir* : asseoir.

5. *Nymphes* : dans la mythologie, déesses d'un rang inférieur qui hantaient les bois, les montagnes, les fleuves, la mer, les rivières.

6. *Bouquins* : boucs.

7. *Si* : aussi.

8. *Adonc* : alors, donc.

giné, se prit à l'instruire en cette façon. Elle lui commanda de s'asseoir auprès d'elle, puis de la baiser tout ainsi qu'ils avoient de coutume entre eux, et en la baisant de l'embrasser, et finalement de se coucher à terre au long d'elle. Comme il se fut assis, qu'il l'eut baisée, se fut couché, elle, le trouvant en état, le souleva un peu et se glissa sous lui, puis elle le mit dans le chemin qu'il avoit jusque-là cherché, où chose ne fit qui ne soit en tel cas accoutumée[1], nature elle-même du reste l'instruisant assez. [...]

Pastorales de Daphnis et Chloé, trad. Jacques Amyot,
revue par Paul-Louis Courier,
Flammarion, 1872, p. 104-106.

William Shakespeare, *Roméo et Juliette* (1595)

Roméo et Juliette est sans doute la pièce la plus célèbre du dramaturge anglais William Shakespeare (1564-1616). Par le nombre de réécritures et d'adaptations qu'elle inspira, l'histoire d'amour tragique des deux adolescents de Vérone est devenue un mythe littéraire.

Roméo et Juliette sont les enfants de deux familles ennemies, respectivement les Montague[2] et les Capulet. Roméo se rend masqué à une fête donnée par les Capulet. Il y rencontre Juliette. Les jeunes gens s'éprennent l'un de l'autre. Malgré l'interdit familial, Roméo décide de revoir Juliette. Au début de l'acte II, il pénètre dans le jardin des Capulet. Il y jure son amour à Juliette.

Acte II, scène 2

[...]

JULIETTE. – Oh ! ne jure pas par la lune, l'inconstante lune dont le disque change chaque mois, de peur que ton amour ne devienne aussi variable !

---

1. *Où chose ne fit qui ne soit en tel cas accoutumée* : où eut lieu ce qui se passe généralement en de telles circonstances.
2. Plus souvent traduit par Montaigu.

ROMÉO. – Par quoi dois-je jurer ?

JULIETTE. – Ne jure pas du tout ; ou, si tu le veux, jure par ton gracieux être, qui est le dieu de mon idolâtrie, et je te croirai.

ROMÉO. – Si l'amour profond de mon cœur…

JULIETTE. – Ah ! ne jure pas ! Quoique tu fasses ma joie, je ne puis goûter cette nuit toutes les joies de notre rapprochement ; il est trop brusque, trop imprévu, trop subit, trop semblable à l'éclair qui a cessé d'être avant qu'on ait pu dire : il brille !… Doux ami, bonne nuit ! Ce bouton d'amour mûri par l'haleine de l'été, pourra devenir une belle fleur, à notre prochaine entrevue… Bonne nuit, bonne nuit ! Puisse le repos, puisse le calme délicieux qui est dans mon sein, arriver à ton cœur !

ROMÉO. – Oh ! vas-tu donc me laisser si peu satisfait ?

JULIETTE. – Quelle satisfaction peux-tu obtenir cette nuit ?

ROMÉO. – Le solennel échange de ton amour contre le mien.

JULIETTE. – Mon amour ! je te l'ai donné avant que tu l'aies demandé. Et pourtant je voudrais qu'il fût encore à donner.

ROMÉO. – Voudrais-tu me le retirer ? Et pour quelle raison, mon amour ?

JULIETTE. – Rien que pour être généreuse et te le donner encore. Mais je désire un bonheur que j'ai déjà : ma libéralité est aussi illimitée que la mer, et mon amour aussi profond : plus je te donne, plus il me reste, car l'une et l'autre sont infinis. *(On entend la voix de la nourrice.)* J'entends du bruit dans la maison. Cher amour, adieu ! J'y vais, bonne nourrice !… Doux Montague, sois fidèle. Attends un moment, je vais revenir *(Elle se retire de la fenêtre.)*

ROMÉO. – Ô céleste, céleste nuit ! J'ai peur, comme il fait nuit, que tout ceci ne soit qu'un rêve, trop délicieusement flatteur pour être réel. […]

Roméo et Juliette, trad. François-Victor Hugo,
GF-Flammarion, 1979, p. 180-181.

Bernardin de Saint-Pierre, *Paul et Virginie* (1788)

Après de nombreux voyages et une vie d'aventures plus ou moins heureuses, Bernardin de Saint-Pierre se consacre à l'écriture. En 1784, il publie les trois premiers volumes d'une somme philosophique dans laquelle il tente de prouver l'existence de Dieu par la perfection de la nature : *Études de la nature*. À cette époque, l'histoire de *Paul et Virginie* est déjà écrite, mais Bernardin de Saint-Pierre ne la fait paraître qu'en 1788, à l'occasion d'une réédition des *Études*, dont elle constitue le quatrième volume. Le roman connaît un formidable succès.

Paul et Virginie sont élevés ensemble par leurs mères dans le cadre idyllique de l'Île de France (l'actuelle île Maurice). L'amitié tendre entre les deux jeunes gens cède bientôt la place à un amour chaste. Malheureusement, la jeune fille doit rejoindre Paris et quitter Paul. Quand elle peut enfin le retrouver, elle disparaît dans le naufrage de son navire et Paul meurt de chagrin.

Dans la scène qui suit, Virginie sent naître les premiers émois de l'amour lors d'une nuit d'été particulièrement chaude...

[...] Dans une de ces nuits ardentes, Virginie sentit redoubler tous les symptômes de son mal. Elle se levait, elle s'asseyait, elle se recouchait, et ne trouvait dans aucune attitude ni le sommeil, ni le repos. Elle s'achemine, à la clarté de la lune, vers sa fontaine ; elle en aperçoit la source qui, malgré la sécheresse, coulait encore en filets d'argent sur les flans bruns du rocher. Elle se plonge dans son bassin. D'abord la fraîcheur ranime ses sens, et mille souvenirs agréables se présentent à son esprit. Elle se rappelle que dans son enfance sa mère et Marguerite s'amusaient à la baigner avec Paul dans ce même lieu ; que Paul ensuite, réservant ce bain pour elle seule, en avait creusé le lit, couvert le fond de sable, et semé sur ses bords des herbes aromatiques. Elle entrevoit dans l'eau, sur ses bras nus et sur son sein, les reflets des deux palmiers plantés à la naissance de son frère et à la sienne, qui entrelaçaient au-dessus de sa tête leurs rameaux verts et leurs jeunes cocos. Elle pense à l'amitié de Paul, plus douce que les parfums, plus pure que l'eau des fontaines, plus forte que les palmiers unis ; et elle soupire. Elle songe à la nuit, à la solitude, et un feu dévorant la saisit. Aussitôt elle sort, effrayée de ces dangereux ombrages, et de ces eaux plus brûlantes que les soleils de la zone torride. Elle court auprès de sa mère chercher un appui contre elle-même. Plusieurs fois, voulant lui raconter ses peines, elle lui pressa les mains dans les siennes ; plusieurs fois elle fut près de prononcer le nom de Paul, mais son cœur oppressé laissa sa langue sans expression, et posant sa tête sur le sein maternel elle ne put que l'inonder de larmes. […]

Paul et Virginie, éd. Robert Mauzi,
GF-Flammarion, 1992, p. 129-130.

Arthur Rimbaud, *Poésies* (1870-1871)

En août 1870, le jeune Arthur Rimbaud, alors âgé de seize ans, fugue pour la première fois : il quitte sa ville natale, Charleville, pour rejoindre Paris, où il espère mener une vie de poète. Ramené à sa mère par Izambard, son professeur de lettres et ami, il compose le 29 septembre 1870 ce poème. Il y décrit ses amours de grandes vacances à Charleville avec un regard à la fois amusé et sans complaisance.

Roman

I

On n'est pas sérieux, quand on a dix-sept ans.
– Un beau soir, foin [1] des bocks [2] et de la limonade,
Des cafés tapageurs aux lustres éclatants !
– On va sous les tilleuls verts de la promenade.

Les tilleuls sentent bon dans les bons soirs de juin !
L'air est parfois si doux, qu'on ferme la paupière ;
Le vent chargé de bruits – la ville n'est pas loin –
A des parfums de vigne et des parfums de bière…

---

1. *Foin* : interjection qui marque le mépris, le dédain.
2. *Bocks* : verres de bière.

II

– Voilà qu'on aperçoit un tout petit chiffon
D'azur sombre, encadré d'une petite branche,
Piqué d'une mauvaise étoile, qui se fond
Avec de doux frissons, petite et toute blanche...

Nuit de juin ! Dix-sept ans ! – On se laisse griser.
La sève est du champagne et vous monte à la tête...
On divague ; on se sent aux lèvres un baiser
Qui palpite là, comme une petite bête...

III

Le cœur fou robinsonne [1] à travers les romans,
– Lorsque, dans la clarté d'un pâle réverbère,
Passe une demoiselle aux petits airs charmants,
Sous l'ombre du faux-col effrayant de son père...

Et, comme elle vous trouve immensément naïf,
Tout en faisant trotter ses petites bottines,
Elle se tourne, alerte et d'un mouvement vif...
– Sur vos lèvres alors meurent les cavatines [2]...

IV

Vous êtes amoureux. Loué jusqu'au mois d'août.
Vous êtes amoureux. – Vos sonnets La font rire.
Tous vos amis s'en vont, vous êtes mauvais goût.
– Puis l'adorée, un soir, a daigné vous écrire... !

---

1. Robinsonne : vagabonde, part à l'aventure (néologisme formé sur le nom Robinson Crusoé).
2. Cavatines : airs de musique légers et émouvants.

– Ce soir-là,… – vous rentrez aux cafés éclatants,
Vous demandez des bocks ou de la limonade…
– On n'est pas sérieux, quand on a dix-sept ans
Et qu'on a des tilleuls verts sur la promenade.

29 septembre 1870.

Poésies, éd. Jean-Luc Steinmetz,
GF-Flammarion, 1989, p. 92-93.

Raymond Radiguet, *Le Diable au corps* (1923)

Raymond Radiguet (1903-1923) a seize ans lorsqu'il entreprend d'écrire *Le Diable au corps*. Le roman, qui sera publié en 1923, la même année que *Le Blé en herbe*, raconte l'histoire d'un jeune adolescent de seize ans qui découvre l'amour en 1918, entre les bras d'une femme mariée, Marthe, dont l'époux se trouve au front.
Raymond Radiguet s'inspire d'une relation qu'il a entretenue entre 1917 et 1919 avec une femme plus âgée que lui et dont le mari était à la guerre. L'œuvre révèle un grand écrivain, mais elle suscite aussi un véritable scandale. Dans notre extrait, le jeune narrateur découvre l'amour physique auprès de Marthe.

[…] Depuis quatre mois, je disais l'aimer, et ne lui en donnais pas cette preuve dont les hommes sont si prodigues et qui souvent leur tient lieu d'amour. J'éteignis de force.

Je me retrouvai avec le trouble de tout à l'heure, avant d'entrer chez Marthe. Mais comme l'attente devant la porte, celle devant l'amour ne pouvait être bien longue. Du reste, mon imagination se promettait de telles voluptés qu'elle n'arrivait plus à les concevoir. Pour la première fois aussi, je redoutai de ressembler au mari et de laisser à Marthe un mauvais souvenir de nos premiers moments d'amour.

Elle fut donc plus heureuse que moi. Mais la minute où nous nous désenlaçâmes, et ses yeux admirables, valaient bien mon malaise.

Son visage s'était transfiguré. Je m'étonnai même de ne pas pouvoir toucher l'auréole qui entourait vraiment sa figure, comme dans les tableaux religieux.

Soulagé de mes craintes, il m'en venait d'autres.

C'est que, comprenant enfin la puissance des gestes que ma timidité n'avait osés jusqu'alors, je tremblais que Marthe appartînt à son mari plus qu'elle ne voulait le prétendre.

Comme il m'est impossible de comprendre ce que je goûte la première fois, je devais connaître ces jouissances de l'amour chaque jour davantage.

En attendant, le faux plaisir m'apportait une vraie douleur d'homme : la jalousie.

J'en voulais à Marthe, parce que je comprenais, à son visage reconnaissant, tout ce que valent les liens de la chair. Je maudissais l'homme qui avait avant moi éveillé son corps. Je considérais ma sottise d'avoir vu en Marthe une vierge. À toute autre époque, souhaiter la mort de son mari, c'eût été chimère enfantine, mais ce vœu devenait presque aussi criminel que si j'eusse tué. Je devais à la guerre mon bonheur naissant ; j'en attendais l'apothéose. J'espérais qu'elle servirait ma haine comme un anonyme commet le crime à notre place. [...]

Le Diable au corps, éd. Bruno Vercier,
GF-Flammarion, 1986, p. 88-89.

Un « chapitre inédit »
du *Blé en herbe* : « Avril »

En 1949, paraît chez l'imprimeur Daragnès « Avril », sous-titré « Un chapitre inédit du *Blé en herbe* ». Comme pour *Claudine s'en va*, publié en 1903 et complété en 1937 d'un « chapitre inédit de *Claudine s'en va* : "Claudine et les contes de fées" », Colette donne à lire un épisode inédit du *Blé en herbe*. L'action d'« Avril » se situe, comme le titre l'indique, avant les vacances d'été qui constituent le cadre temporel du *Blé en herbe*.

Lors d'une promenade à bicyclette, Phil et Vinca découvrent un couple d'amoureux enlacés dans l'herbe.

– Recompte, commanda Vinca. Ça fait neuf. Tu t'es trompé.

Phil soupira, haussa ses sourcils lustrés en signe de lassitude.

– Les deux Viénot, Maria et son frère, la Folle et son petit chien…

Vinca mordit son crayon d'un air soucieux, détourna son regard bleu vers le bleu épais d'un orage printanier d'où pleuvaient une neige molle et éphémère de fleurs de pruniers et des chenilles de noisetier, arrachées à un jardin d'Auteuil invisible.

– Il suit, son chien ?

– Il ne suit pas. Elle le met dans un panier à fraises, attaché sur le guidon, couché dans un béret basque et enfilé dans une ancienne manche de pull-over. Il adore ça.

– Oh ! moi, je veux bien… Nous disions six, nous compris, les trois Lapins-Géants-des-Flandres, neuf. C'est tout.

– Pis qu'une noce, dit Phil méprisant.

– Les œufs durs, le pâté de campagne, le rosbif et le jambon…

– Treize, dit Philippe. Mauvais compte.

Vinca éclata de rire, retrouvant ses quinze ans, et Phil daigna sourire. Lui brun, elle blonde et vermeille, ils se ressemblaient vaguement à force de vivre, depuis leur naissance, l'un près de l'autre et de s'aimer à la manière agressive des adolescents.

– Viénot Henri dit qu'il apporte du calvados et du… kummel[1].

Phil souleva sa nuque renversée sur le dossier de rotin.

– Oui ? Viénot Henri fait ce qu'il lui plaît. Nous ne toucherons pas à l'alcool, s'il te plaît ! Viénot Henri a des manières de croquant[2] !

Vinca rougit et ne répliqua pas. Avec Philippe, elle acceptait l'autorité et ne regimbait[3] que sous la taquinerie. Elle leva vers lui son

---

1. Le *calvados* est une eau-de-vie de cidre fabriquée dans le Calvados ; le *kummel* est une liqueur parfumée au cumin, appréciée pour ses qualités digestives.

2. *Croquant* : paysan, rustre.

3. *Regimbait* : se rebiffait.

généreux visage de petite fille florissante, rose vigoureusement aux joues. Elle avait l'œil humide, d'un bleu définitif, les cheveux plats et blonds, et entre ses lèvres un peu gercées des dents épaisses et pures, arrondies aux bords.

– Tu sais, Phil, j'ai un porte-bagages. Je peux prendre ce qui te gênerait.

– Rien ne me gêne, dit Phil d'un ton rogue [1]. Rien, que cette caravane, ces types… Je comprendrais que nous partions en auto, toi et moi…

– Oui, mais puisqu'on n'a pas d'auto, Phil…

Il se sentit honteux de lui-même, comme chaque fois que Vinca acceptait sa condition de petite jeune fille sans fortune et sans argent de poche, entraînée à la bicyclette comme au savonnage, habile à battre et plier l'omelette, à donner un shampooing à sa petite sœur Lisette et un coup de fer aux pantalons de son père. Grande pour son âge, haute sur jambes et anguleuse, elle était pourtant toute pareille à une femme et souvent soucieuse.

– Phil, ta mère sait, pour le rosbif ? Dis-lui qu'elle ne prenne que pour six, la viande est tellement hors de prix…

Elle s'interrompit pour écouter le tintement perlé d'une averse de grêle, et Philippe ricana en montrant le ciel bas.

– D'ici huit jours… espéra Vinca.

Et déjà ses yeux étaient couleur de beau temps.

Advint, en effet, que le temps changea.

Dès le lendemain, autour de l'église d'Auteuil, le dimanche des Rameaux répandit son odeur de matou et de fleurs. Pour guetter Philippe et ses parents qui venaient déjeuner, Vinca ouvrit la fenêtre sur la rue, une des dernières rues villageoises d'Auteuil. Elle se pencha pour admirer le lilas épuisé et le mahonia [2] aux feuilles de fer rougeâtre, serrés entre la grille et le mur de façade.

« Quand nous serons mariés, c'est ici que j'attendrai Philippe… »

---

1. *Rogue* : voir note 4, p. 80.
2. *Mahonia* : arbuste buissonnant dont les feuilles sont semblables à celles du houx, à fleurs jaunes en grappes, à petites baies bleu foncé.

Elle appartenait à la race douce, obstinée et vivace, insensible au progrès, et qui ne veut ni changer, ni périr.

Neuf bicyclettes franchirent la grille du parc de Saint-Cloud, sous le soleil matinal du samedi de Pâques. En appuyant sur les pédales le long de la grande allée qui monte vers Marnes, les neuf bicyclistes enregistraient sans mot dire l'image complète des automobilistes qui les dépassaient, et tendaient l'oreille au sourd tam-tam des motocyclettes neuves. Aucun d'eux n'était content de son sort, ni de son âge, ni ne brûlait d'échanger des confidences. Seuls Philippe et Vinca la Pervenche possédaient un passé vieux comme eux-mêmes de seize années, riche de fraternité tendre et de silence.

La plupart des neuf bicyclistes étaient des enfants du petit commerce parisien appauvri, sevrés de plaisirs coûteux, accoutumés à refréner et à nourrir en secret leurs convoitises.

Ils ne manquaient que d'un peu de simplicité dans leur manière d'être pauvres. Ainsi l'un des garçons, dès la porte de Marnes, troua exprès le coude de son pull-over élimé, fit glisser jusqu'à sa cheville l'un de ses bas et ramassa des plumes de pie qu'il se planta dans les cheveux. Mais son appareil de loqueteux [1] ne fit rire personne. La Folle aux gros yeux, poussant son cri de guerre, traversa Marnes en trombe et arriva première aux bois de Fausses-Reposes, où sa chienne minuscule décida de faire une halte hygiénique. Par courtoisie, ses huit compagnons mirent pied à terre, et se rangèrent à l'écart de la route, dans une clairière où la paix matinale reprenait possession des bois avec un murmure égal et fort de brise, de feuilles courtes et d'oiseaux. Philippe caressait le tronc satiné d'un merisier ; en levant les yeux, il s'aperçut que l'arbre portait toutes ses fleurs épanouies. Comme chaque fois qu'il se sentait heureux, il en appela, de la voix et du geste, à Vinca. Elle renversa la tête pour contempler le merisier et ses prunelles bleues resplendirent. Il n'en fallait pas davantage pour qu'ils se sentissent liés, et retirés dans le lieu secret où leur tendresse retrouvait sa vigueur et la conscience d'elle-même.

---

1. *Loqueteux* : vêtu de loques, de haillons.

Sur la route, ils prirent les devants, roue à roue. La dure côte, au sortir de Versailles, leur parut longue. Les garçons dépouillaient qui le pull-over, qui la veste du « plusfour [1] » de confection. Tous avaient déjà les joues fouettées, les yeux rougis, l'air heureux d'enfants consolés qui portent encore la meurtrissure des larmes. Ils n'accordèrent pas un coup d'œil à la mare romantique de Voisins-Bretonneux, mais ils se criaient, à longs intervalles, des vérités frappantes concernant la température, la transpiration et la vitesse. Le vent acide de nord-ouest, le mordant soleil d'avril leur arrachait parfois un cri sans pensée, et du haut de son panier à fraises la très petite chienne leur répondait.

– Des pêchers en fleurs !… Des jacinthes sauvages !… J'ai vu des jacinthes ! Je descends ! glapit Maria, noire et frisée.

– La paix, commanda son frère jumeau, frisé et noir. On les aura en revenant.

– Penses-tu qu'on nous en aura laissé ? Je descends !

Elle sauta à terre, se tordit la cheville et cria. L'un des Viénot rugit un mot désobligeant, vertement relevé par le jumeau, et la Folle, en rebroussant chemin pour ne rien perdre de l'altercation, barra le passage à une automobile.

Philippe perdit la patience, le goût d'attendre ses compagnons, et le son de leurs joues, le choix de leurs injures, lui firent monter le sang aux joues.

– Viens, dit-il à Vinca. Ils nous rattraperont assez tôt. Avec tout ça, il est onze heures et demie.

Tous deux repartirent allégés, goûtant leur solitude et leur bonne humeur réveillée. Le printemps baignait encore dans le jaune translucide qui précède le vert universel. Primevères jaunes des prés, chatons [2] mielleux des saules, feuilles des peupliers qui naissent roses et dorées, n'enchantèrent Vinca et Philippe qu'à partir de l'instant où ils se sentirent seuls. Sur les haies de prunelliers épineux, la floraison retardée suspendait des perles rondes, d'un blanc de grêle.

---

1. *Plusfour* : mot anglais qui désigne un pantalon très long faisant penser à un pantalon de golf.
2. *Chatons* : inflorescences en épi souple.

Avant de traverser Dampierre, les deux amis ralentirent aux Dix-sept tournants.

– Je n'en trouve que quatorze, dit Vinca en bas de la côte.

– Que tu es enfant, dit Philippe indulgent.

Mais il avait compté aussi, et il ne put échapper à une convulsion de rire qui lui mouilla les yeux. Essoufflé, moite, le front chaud sous ses cheveux et les oreilles froides, il respirait à grandes gorgées, en proie à un bien-être un peu fourbu, vidé et content comme s'il venait de rejeter une nourriture indigeste.

– Ah ! soupira-t-il en mettant pied à terre, ça va mieux...

Ils gravissaient, sous le soleil de midi, la dernière côte avant les Vaux, entre les bois clairs, étoilés d'anémones sauvages.

– Viens, Vinca, on va se reposer.

Déjà elle le suivait, guidant sa bicyclette dans un sentier serré entre des chênes bas et des bouleaux à chevelure fine.

– Écoute... dit Vinca. C'est le coucou. Quand il chante, c'est que la violette sauvage n'a plus de parfum.

Philippe s'était arrêté court, l'épaule contre l'épaule de Vinca. Il entendait, plus proche que les deux notes du coucou, le souffle de Vinca dont les yeux, levés vers les cimes du taillis, brillaient d'un bleu qu'il crut découvrir, tigrés d'ardoise, tavelés [1] de mauve... Elle tenait entrouverte sa bouche rouge fendillée, et Philippe frissonna soudain en imaginant le froid des belles dents épaisses...

– Viens, Vinca...

– Où ?

– Là... par là...

Il désignait un lieu inconnu de lui, écarté de la route, un lieu qu'il imaginait moussu, ou nappé de sable blanc, ou herbu comme une prairie de juin... Il le rencontra comme en un songe. Blanc de sable, vert de foin forestier à lances fines, moussu au pied d'un hêtre, et étroit à faire peur... En même temps, il faillit buter contre ce qu'il n'avait ni imaginé ni vu : un couple couché, rassasié, immobile, qui

---

1. *Tavelés* : marqués de petites taches.

ne bougea pas sous les regards. La femme étendue ferma seulement les yeux et se serra contre l'homme.

En faisant volter sa bicyclette, Philippe faillit renverser Vinca, qui trébucha et ne dit mot.

– Allez, tourne, on s'est trompés, dit-il d'une voix haute et factice.

Il la poussait vers la route sans ménagement.

– Avance, quoi avance ! Tu as les jambes en beurre, aujourd'hui ?

Il eût voulu qu'elle ne vît pas, avec lui, ce couple couché. Il eût aimé que de l'avoir vu elle s'enfuît farouche, et révoltée...

– Avance, mon petit, avance...

– C'est une ronce, Phil... Elle est prise dans mes rayons...

Il ne l'aida pas, la laissa s'arracher aux vieilles ronces féroces, en la regardant durement. Elle ne lui demanda ni secours ni explication, et sur la route se contenta de lécher sa main écorchée.

– Recule ta machine, Vinca... Ta roue dépasse... un peu plus ce chauffard te fauchait...

– Oui...

– Midi vingt !... S'ils n'arrivent pas dans deux minutes, on roule.

– Comme tu voudras...

« Pour obéir, elle obéit, pensa-t-il. Jusqu'où m'aurait-elle obéi, dans le bois ?... »

Du vallon montèrent des appels, les aboiements suraigus de la petite chienne. Philippe leva les bras, répondit « hé ha ! » à pleine voix. Lorsque le peloton atteignit le palier, il sauta en selle, et avec une sorte de gratitude se mêla à ses compagnons.

De la page à l'écran :
Le Blé en herbe au cinéma

L'œuvre de Colette a été portée à l'écran très tôt et souvent. Dès 1910, Musidora adapte pour le cinéma *La Vagabonde* (1910), un roman de Colette qui s'inspire de la carrière de mime de l'écrivain. Colette est l'une des premières à s'intéresser à cette nouvelle forme d'art. Elle écrit de nombreux articles, des scénarios et des dialogues pour le cinéma, qu'Alain et Odette Virmaux, avec l'aide d'Alain Brunet, ont patiemment rassemblés [1]. *Le Blé en herbe*, film de Claude Autant-Lara, est la dernière adaptation cinématographique à laquelle l'auteur assiste.

Le projet en est ancien. Dès 1933, Colette, qui vient d'écrire le scénario et les dialogues du *Lac aux dames* (réalisé par Marc Allégret), songe à l'actrice principale du film, Simone Simon, pour le rôle de Vinca. Un an auparavant, elle a écrit à sa fille pour qu'elle contacte le réalisateur Edmond T. Gréville et suggère à celui-ci d'adapter son roman au cinéma [2]. C'est finalement le réalisateur Claude Autant-Lara qui décide le premier de transposer le texte à l'écran. En 1942, il dépose à l'Association des auteurs de films un projet, que la guerre retarde. Le film ne sortira sur les écrans qu'en janvier 1954. Les dialogues sont signés du célèbre « duo » Aurenche et Bost. Edwige Feuillère, immense vedette de l'époque, interprète le rôle de la Dame en blanc, Pierre-Michel Beck celui de Phil, et Nicole Berger celui de Vinca. On note la présence de Louis de Funès qui joue le rôle d'un photographe.

En province, le film fait les gros titres de la presse. Une dernière fois, l'œuvre de Colette crée le scandale. Les principaux incidents ont lieu dans la ville de Caen. Les journaux rapportent les événements : « Le clergé de Caen mobilise contre *Le Blé en herbe* les judokas catholiques qui sont mis en déroute par les étudiants de l'université » ; ou bien encore : « À Caen, la bataille du *Blé en herbe* n'a fait ni morts ni blessés. »

---

1. Alain et Odette Virmaux, Alain Brunet, *Colette au cinéma*, Fayard, 2004.
2. *Ibid.*, p. 282.

On y apprend que les manifestants réclament « des films propres pour [leurs] enfants » et que l'évêque de Bayeux et de Lisieux « [a] demandé aux prêtres de défendre formellement aux fidèles du diocèse d'aller voir *Le Blé en herbe* dans quelque cinéma que ce soit ». Comme le notent les auteurs de *Colette au cinéma*, « que son contenu ait pu paraître alors infamant nous est devenu, aujourd'hui, à peu près incompréhensible [1] ». Le scandale assure en tout cas une publicité salutaire au film.

À cette époque, Colette souffre déjà depuis longtemps d'arthrite. En janvier 1954, elle est immobilisée par la maladie dans son appartement et elle ne peut assister à l'avant-première. Elle enregistre sur un disque un message destiné à être diffusé pendant l'entracte qui interrompt alors les projections. Elle s'y adresse aux étudiants. Son texte résonne comme l'ultime leçon d'une femme et d'un écrivain qui a cherché, tout au long de son œuvre, à se connaître, et qui a placé sa plume au plus proche de la vie : « Plus que sur toute autre manifestation vitale, je me suis penchée, toute mon existence, sur les éclosions. C'est là pour moi que réside le drame essentiel, mieux que la mort qui n'est qu'une banale défaite. Laissez-moi vous révéler que l'expérience ne compte pour rien. À mesure que l'on avance en âge, le mystère s'épaissit. Tout ce qui m'a étonnée dans mon âge tendre m'étonne aujourd'hui bien davantage. L'heure de la fin des découvertes ne sonne jamais. Le monde m'est nouveau à mon réveil chaque matin et je ne cesserai jamais d'éclore que pour cesser de vivre [2]. »

Les affiches du film

L'affiche d'un film a une double fonction, informative et incitative. Elle doit fournir au spectateur éventuel des informations générales (nom du réalisateur, des acteurs...) et lui donner envie de voir le film. Plusieurs affiches furent réalisées pour *Le Blé en herbe* (1954), de Claude Autant-Lara.

---

1. *Ibid.*, p. 474.
2. *Ibid.*

1. Les informations générales

1. Précisez le sens des mots suivants au cinéma : « réalisateur », « producteur », « distributeur », « adaptateur ».

2. À l'aide des quatre affiches (p. 164-167), renseignez les rubriques suivantes : réalisation, adaptation, dialogues.

3. Indiquez les noms d'acteurs qui figurent sur les affiches. Commentez leur disposition et la taille des caractères.

4. Quels sont les noms qui sont le plus mis en valeur ? Commentez les différents choix.

2. Les personnages

1. Quels personnages figurent sur les quatre affiches ?

2. Observez et commentez le choix des vêtements, des attitudes et des expressions.

3. Commentez la disposition des différents personnages sur chaque affiche. (Quel personnage est mis en valeur ? Par quels procédés ? Quelles oppositions sont créées ?...)

4. Étudiez le jeu des regards. En quoi rend-il compte des enjeux du texte ?

3. Le décor

1. Sur quelles affiches figure un décor ? Commentez les différents choix.

2. Que peut signifier l'absence de décor ?

4. Symboles

1. Commentez l'ombre sur l'affiche, p. 166.

2. Les reproductions sont en noir et blanc, mais, à l'origine, les affiches sont en couleurs. Quelles couleurs auriez-vous privilégiées si vous aviez vous-même réalisé une affiche ? Justifiez votre réponse.

5. Bilan

Quelle affiche vous semble la plus fidèle à votre lecture et à votre compréhension de l'œuvre de Colette. Expliquez et justifiez votre réponse.

Bibliographie

Textes de Colette

Œuvres, éd. Claude Pichois, Gallimard, coll. « Bibliothèque de la Pléiade», 4 vol., 1984-2001 [édition de référence ; textes richement annotés ; on pourra notamment y consulter les nombreuses variantes des textes].

Biographies

Argonne, Paul, *Une dame, trois rois et quelques cavaliers*, Belfond, 2004.

Bonal, Gérard, et Rémy-Bieth, Michel, *Colette intime*, Phébus, 2005.

Brunet, Alain, et Pichois, Claude, *Colette*, Le Livre de Poche, 2000.

Études

Ducrey, Guy, *L'ABCdaire Colette*, Flammarion, 2000.

Dupont, Jacques, *Colette*, Hachette, 1995.

Maget, Frédéric, *Colette. Livret pédagogique*, Le Livre de Poche, 2004.

[Maget, Frédéric, éditeur], Colette, *Dialogues de bêtes*, Gallimard, coll. « Folio classiques du XXe siècle », 2004.

Revues

Cahiers Colette, n° 1-27, PUR, 1978-2004 [publication annuelle de la Société des amis de Colette (Mairie de Saint-Sauveur-en-Puisaye) ; nombreux articles et inédits].

«Colette», *Textes et documents pour la classe (TDC)*, CNDP-CRDP, n° 880, 15 septembre 2004.